La méthode de l'offre
d'ACHAT FERME

Titre original:
The 64 Page Book for
Buying Your Next Car
and House Cheaper

Copyright © 1985 by:
St-Georges Press,
a Division of Bern Wheeler
Communications Ltd.

Publié par:
Methuen Publications
Agincourt, Ontario

La méthode de l'offre d'ACHAT FERME

comment
PAYER MOINS

pour votre

PROCHAINE AUTO

ou

LA MAISON
de vos rêves

par
Bern Wheeler

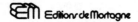 Éditions de Mortagne

Édition:
Les Éditions de Mortagne
171, boul. de Mortagne
Boucherville,(Québec)
J4B 6G4

Traduction:
Doris Pilotte

Distribution:
Tél.:(514) 641-2387

Tous droits réservés:
Les Éditions de Mortagne
Copyright Ottawa 1988

Dépôt légal:
Bibliothèque nationale du Canada
Bibliothèque nationale du Québec
2e trimestre 1988

ISBN: 2-89074-258-X

1 2 3 4 5 -88- 93 92 91 90 89

IMPRIMÉ AU CANADA

TABLE DES MATIÈRES

Remerciements

Ce guide a beau être bref et sans complications, il a fallu que d'autres personnes prêtent leur concours à l'auteur pour le mener à bien.

Je tiens à remercier tout particulièrement Maîtres John Benson et Evelyn Wheeler pour leurs conseils en matière juridique, Alan Carson de la firme d'évaluation et d'inspection immobilière Carson, Dunlop et Associés Limitée pour leurs commentaires techniques, de même que Janet Kandler et Sandra de Athe pour les recherches qu'elles ont faites; j'aimerais également remercier Janet Green et Ruth Gamble de m'avoir aidé à préparer le manuscrit; et enfin merci à Don Davies et à Paul Kalbfleish pour leurs judicieux conseils.

Avant-propos

Ce petit guide renferme une méthode bien simple à suivre pour acheter une auto ou une maison. Elle vous fera économiser des centaines, voire même des milliers de dollars et énormément de soucis, tout en vous garantissant d'en avoir pour votre argent. C'est une méthode qui m'a réussi et qui a donné d'heureux résultats auprès de ceux avec qui je l'ai partagée. Elle vous réussira aussi.

Vous ne devrez pas obligatoirement être versé dans l'art de la négociation quand vous achèterez votre prochaine auto. Vous n'aurez qu'à suivre la méthode expliquée dans ce guide, celle de l'offre ferme. Elle vous permettra de choisir la maison et l'hypothèque qui vous conviennent le mieux et de négocier le meilleur prix possible. Il suffira de vous familiariser avec le système et de le mettre à profit.

Bonne lecture et bons achats!

1.

LA MÉTHODE DE L'OFFRE D'ACHAT FERME

On apprend à tout âge. Vous avez sans doute eu très jeune votre première leçon comme consommateur devant un comptoir de bonbons.

Tout a commencé lorsque maman ou papa, acquiesçant à votre demande, vous a acheté des *jujubes*. Vous n'avez pas attendu très longtemps avant de commencer à utiliser votre précieux argent de poche pour aller acheter ces sucreries tant convoitées. Du même coup, ce fut une leçon que vous n'avez jamais oubliée: il y a toujours un juste prix et, à condition de le connaître et d'avoir les moyens de le payer, on obtient tout ce que l'on veut dans la vie.

Voici donc dans l'ordre, les éléments de l'achat ferme: le désir d'acquisition, le juste prix, les moyens financiers et l'achat.

À mesure que l'on grandit, on approfondit la question et on s'aperçoit qu'il est possible de se procurer le même article à différents prix, dans différents magasins. Malgré ces variantes, l'expérience culturelle, celle de l'achat ferme, demeure la même. On apprend à *magasiner* sans toutefois changer notre manière de concevoir l'achat.

Le Nord-Américain n'a pas l'habitude de troquer ou de marchander; il n'est d'ailleurs pas un maître dans l'art de la négociation. L'achat ferme est la règle chez nous et la leçon des jujubes nous sert bien... jusqu'au moment où l'on achète une voiture ou une maison.

Dès lors, sans avoir eu de formation ni d'expérience, il faudrait faire preuve, en négociant, d'autant de ruse et d'astuce qu'un marchand de Marrakech. Sans trop comprendre ce qui se passe, vous vous trouvez catapulté loin du pays des jujubes, en pleine brousse, où vous risquez d'être embusqué par des brigands désireux de vous vendre de la marchandise à un prix exorbitant. Que faire?

Devant de tels guérilleros, il existe deux façons traditionnelles de se protéger. On peut s'en remettre exclusivement à un ami ou à un parent qui est du métier. Cependant agir ainsi, c'est admettre que nous pouvons tomber aux mains des bandits et que nous avons donc besoin de protection. Mais après tout, ce n'est pas un ami ou un parent qui nous roulerait, n'est-ce pas?

Toutefois, vous devriez savoir que la réussite financière de l'agent immobilier ou du vendeur d'automobiles est très directement liée au nombre de ses amis, connaissances et parents. Ce qu'il vend, c'est surtout *la confiance*. Avant de vous vendre une auto ou une maison, il doit absolument vous convaincre qu'il est honnête et il cherche à monnayer son honnêteté. Dans un tel contexte, est-il permis de croire que vous faites exception? La règle de conduite de ces gens n'est pas simplement de faire de bonnes affaires, mais d'en faire, envers et contre tous.

La deuxième façon de se protéger consiste à se donner les mêmes armes que les guérilleros et à se montrer aussi entêté comme acheteur qu'ils sont habiles comme vendeurs. Certains parmi nous en sont capables, mais, pour la plupart, cela demeure problématique.

Dès l'instant où nous apercevons l'objet de nos désirs, l'eau nous vient à la bouche comme naguère lorsque nous regardions les *jujubes*. L'idée qui nous vient immédiatement à l'esprit est celle du prix. Notre expérience culturelle fait que nous voulons être fixé sur celui-ci au plus vite pour pouvoir ensuite compter nos sous et procéder à l'achat.

C'est là que les guérilleros, eux, mettent à profit leur propre expérience; ils vous mènent par le bout du nez, attisant votre désir, l'amenant à son apogée. Ils savent fort bien que plus grande sera votre envie, plus vous serez prêt à payer.

Si ferme et rationnel que vous soyez, vous risquez d'être pris d'assaut par un désir irrationnel au moment où, financièrement parlant, vous pouvez le moins vous le permettre. À ce moment-là, qui pensez-vous est le mieux équipé: le consommateur qui fait l'acquisition d'une voiture tous les trois ans ou d'une maison tous les cinq ans, ou bien le vendeur professionnel qui s'entraîne à la guérilla chaque jour? Pensez-y! Croyez-vous pouvoir vous en tirer mieux — vous qui vous livrez à cette activité deux ou trois jours tous les quatre ans — qu'un de ces professionnels de la vente qui passe toute sa vie à faire vibrer la corde sensible de manière à porter à leur paroxysme les désirs de l'acheteur? La réponse est, bien sûr, négative.

Il y a encore un autre élément qui entre en ligne de compte. Une maison n'a pas pour unique but de servir d'abri, ni une auto, de moyen de transport. Les deux servent à établir l'identité du propriétaire aux yeux des gens. À nos yeux, la maison et l'automobile ne représentent pas simplement un bien de consommation ordinaire, mais c'est une partie de nous-mêmes, un aspect de l'image que nous désirons projeter. L'ami le plus intime ne saura peut-être jamais quelle marque de dentifrice nous employons, mais tous ceux dont l'opinion compte pour nous, n'ignorent pas comment est notre maison et quelle sorte de voiture nous possédons.

L'enjeu est donc très important. Tous les guérilleros le savent.

Il est assez ironique de constater que la plupart d'entre nous faisons l'acquisition des deux articles qui nous coûtent le plus cher et semblent être les plus importants pour nous, soit notre maison et notre auto, en obéissant à des règles complètement étrangères à notre apprentissage culturel. Dans certaines sociétés, marchander fait partie des coutumes et on acquiert cette habitude dès sa jeunesse. Il n'en est pas ainsi au Canada. Nous, Canadiens, avons appris, depuis l'expérience des jujubes, que les quatre éléments nécessaires à l'acquisition sont, dans l'ordre, le désir, le prix, l'argent et l'achat.

S'il nous est impossible d'oublier cet apprentissage culturel, comment allons-nous nous en sortir lors d'un achat important où il n'est absolument pas question de pouvoir appliquer ces règles? Si les amis qui sont des spécialistes en la matière n'offrent aucune protection, quelle est la solution?

Dans les pages qui suivent, vous allez en trouver une: c'est **la méthode de l'offre d'achat ferme** et elle a pris naissance de la façon suivante.

Jusqu'en 1972, je m'étais contenté de voitures d'occasion. Cette année-là, cependant, je me suis retrouvé avec mon épouse, dans le bureau d'une salle de montre de voitures neuves. Nous venions de faire l'acquisition de notre première auto neuve. Du moins, c'est ce que nous croyions! Puis, le vendeur, qui était parti faire approuver notre offre, est revenu nous annoncer que le gérant des ventes refusait de donner son consentement à moins d'ajouter à notre offre deux ou trois cents dollars environ. Il va sans dire que le vendeur, *qui était de notre côté,* a insisté pour que nous proposions moins que le chiffre fixé par son gérant.

Avons-nous quitté immédiatement le bureau en signe de protestation? Non. Tout en rageant intérieurement, nous avons augmenté notre mise de fonds. Nous désirions la voiture à ce point-là...

Cinq ans plus tard, lorsque j'ai décidé d'acheter une autre voiture neuve, j'étais convaincu d'avoir tiré une leçon de cette expérience. Je n'attendrais plus de recevoir l'approbation du gérant des ventes et je n'accepterais pas non plus une hausse du prix alors que je pensais la transaction terminée. J'étais capable — du moins le croyais-je — de négocier froidement. Mais était-ce vrai? Quand j'ai eu trouvé la voiture qui me convenait, j'ai passé beaucoup de temps à marchander avec le vendeur. Celui-ci, très rapidement, s'est rendu compte que je tenais beaucoup à acquérir cette voiture, car j'avais passé trop de temps à lui en parler et à en discuter le prix.

Je me suis dit qu'il y avait certainement une meilleure solution.

Trois ans plus tard, j'ai acheté une nouvelle auto et cette fois, à un très bon prix. Je n'ai pas eu besoin de négocier ni de passer autant d'heures à discuter avec le vendeur. Je n'ai pas eu non plus à attendre pour obtenir l'assentiment de quiconque.

Enfin, je ne me suis pas posé la question de savoir si j'avais fait une bonne affaire.

Comment ai-je réussi mon coup? Voilà! Entre le deuxième et le troisième achat, j'ai élaboré un système basé sur le principe suivant: Je ne marchande pas. Je suis un acheteur à prix ferme. Ma culture est celle de l'Amérique du Nord et elle détermine mes habitudes. Comme je ne veux pas qu'on me rançonne en exploitant mes désirs, la seule solution consiste à profiter du fait que le vendeur désire effectuer une vente. Je dois donc créer une situation qui l'obligera à m'offrir le plus bas prix possible, au moment même où je suis prêt à faire l'achat.

Avant d'avoir trouvé *la méthode de l'offre d'achat ferme,* je m'enfonçais, sans armes, dans une jungle pleine de guérilleros. Je tombais dans les embuscades. Je ne voyais pas l'utilité de m'armer; la guérilla était étrangère à mon expérience culturelle. Tout comme vous, je ne connaissais que *l'achat* ferme. Il fallait que je trouve le moyen de désarmer les guérilleros! Pour cela, j'avais besoin d'un système axé non sur mon désir d'acheter, mais sur l'envie du vendeur de clore sa vente. Voilà justement ce que vise *la méthode de l'offre d'achat ferme*.

Cette même méthode sert aussi, grâce à quelques petites modifications, à l'achat d'une maison. Dans les quatre chapitres qui vont suivre, *la méthode de l'offre d'achat ferme* est expliquée selon quatre situations différentes: celui de l'achat d'une voiture d'occasion, d'une voiture neuve, d'une maison neuve ou d'une maison que l'on revend. La lecture de ces chapitres devrait vous faire épargner beaucoup d'argent.

2.

L'ACHAT D'UNE VOITURE NEUVE

Cette année, les Canadiens achèteront au moins 750 000 voitures neuves et cela pourrait même dépasser le million. Si chacun employait la méthode de *l'offre d'achat ferme*, le *faste* des salles de montre diminueraient de beaucoup. Dans peu de temps, elles ressembleraient plus à la salle d'attente d'une clinique médicale moderne; elles seraient agréables, confortables, mais surtout **fonctionnelles**. Les bannières, le bruit des portières qui se répercute dans une grande salle presque vide, l'odeur si caractéristique de l'intérieur d'une voiture flambant neuve, tous ces appâts qui servent, en fait, à mettre le client en condition disparaîtraient avec le temps.

Mais ce ne sera pas encore le cas pour votre prochain achat.

Lorsque vous pénétrerez dans la salle de montre, vous y verrez miroiter toute la splendeur d'un véritable palais. On cherchera à vous subjuguer, à vous conditionner de sorte que vous ayez envie de quelque chose d'exceptionnel qui représenterait votre nouvelle image de marque. Qu'on ne s'y trompe pas: votre visite chez le concessionnaire a pour objet de vous procurer un bien qui contribuera à asseoir votre identité. Dans cette ambiance séduisante, vous aurez énormément de difficultés à faire la différence entre votre propre identité et celle proposée par la voiture que vous songez à acheter.

À l'intérieur de la salle de montre quelqu'un d'important vous attend: ce n'est plus simplement un vendeur, mais un nouvel ami. Il vous aidera dans votre choix, maintenant que vous ressentez le besoin d'acheter une auto neuve; il vous guidera patiemment dans votre quête de la voiture parfaite, en vous épaulant autant qu'il le pourra. Mieux encore, il vous défendra contre ses patrons, se battant contre eux pour vos intérêts.

Pensez-y sérieusement. Quelqu'un qui vous était, il y a un instant, tout à fait inconnu se dit maintenant prêt à aller supplier son gérant de vous vendre une auto à un prix plus bas que ne pourrait se le permettre le concessionnaire!

Que se passe-t-il? Ce vendeur serait-il en réalité un saint attendant sa canonisation?

Pas précisément! La commission que reçoit votre nouvel ami n'est pas établie en fonction du prix que vous payez, mais basée plutôt sur la différence entre le prix de vente et le prix d'achat du concessionnaire. Il s'agit d'une marge assez mince, ce qui fait qu'une hausse, même minime, par rapport au prix d'achat lui vaudra une augmentation assez considérable de sa commission.

Prenons un exemple hypothétique. Le concessionnaire a payé au fabricant 9 000$ pour l'auto qui vous intéresse. En supposant que le vendeur reçoive une commission égale à 25%

du bénéfice brut réalisé par le concessionnaire, s'il vous vend l'auto 9 600$, il recevra 25% de 600$, soit 150$. Cependant, s'il vous la vend 9 900$, il empochera 25% de 900$, c'est-à-dire 225$. Alors que vous aurez déboursé à peine 3% de plus, sa commission aura doublé.

Mais faut-il en conclure que votre nouvel ami désire uniquement vous vendre une auto neuve au prix le plus élevé possible? De fait, c'est ce qu'il espère, mais ce n'est pas le plus important. Pour lui, il y a un autre besoin qui prime sur tous les autres et vous pourrez le tourner à votre avantage. Ce qu'il veut **par-dessus tout**, c'est conclure une vente et gagner ainsi une commission. Il aimerait bien sûr vous voir mettre le prix qui lui fera obtenir la plus haute commission possible, mais il se contenterait d'un peu moins pourvu que vous ne vous adressiez pas à un autre concessionnaire.

Qui n'a pas entendu parler de ces représentants vendant des voitures à leurs amis à 100$ de plus que le prix d'achat du concessionnaire.

Pensez-y: une centaine de dollars; somme

sur laquelle on retranche non seulement sa commission mais les frais généraux du concessionnaire, ses intérêts sur la maintenance de l'auto, les taxes d'affaires et l'impôt foncier, les salaires du personnel et les coûts de la publicité. Et pourtant, le concessionnaire réussit encore à faire des bénéfices! Serait-il possible que son *coût d'achat* puisse s'exprimer de plusieurs façons? C'est évident.

La plupart des gens savent qu'il est possible d'acheter une voiture neuve en payant moins cher que le prix de vente étiquette conseillé par le fabricant. Mais jusqu'où peut-on baisser? Il y a une foule d'éléments qui entrent en ligne de compte pour permettre au concessionnaire de calculer son prix de base. Tout d'abord il bénéficie d'une remise de 10 à 20% par rapport au prix conseillé par le fabricant, bien que cette remise varie souvent selon la voiture, le modèle et les options choisies et qu'elle soit sujette à des changement fréquents. De plus il a quantité de ristournes et de rabais que le concessionnaire peut avoir du manufacturier selon la saison et le volume des ventes. Il faut bien sûr aussi tenir compte des "spéciaux", qui sont des voitures que le concessionnaire acceptera de laisser aller à un prix moins élevé, tout en versant un taux de commission supérieur, afin de stimuler les ventes.

Et par-dessus tout, chaque concessionnaire a une idée différente de la façon dont il veut couvrir, pour chaque véhicule vendu, ses frais généraux. Ce n'est donc pas en marchandant que vous connaîtrez le prix minimal du véhicule qui vous intéresse. D'autre part, si vous donnez votre vieille auto en reprise, cela aussi risque de changer le coût d'achat de la neuve. Enfin, il se peut que le jour même où vous désirez faire votre achat, la banque ait appelé le concessionnaire pour lui signaler que *son compte était au plus bas.* Son prix s'en trouvera évidemment réduit sans que vous ayez pu prévoir une telle situation.

Même si vous vous êtes fort bien renseigné sur la voiture de vos rêves ou au sujet du concessionnaire, marchander se révélera une expérience des plus frustrantes. À mesure que vous augmenterez votre offre, petit à petit, l'autre partie baissera son prix de la même manière. Dans le contexte de ces négociations souvent prolongées, le vendeur a le dessus puisqu'il sait à quel point vous tenez à l'automobile. Il s'agit simplement, pour lui, de déterminer où votre offre va plafonner; quant à savoir jusqu'où il baissera son prix, c'est impossible.

Au lieu de vous fier à un ami ou d'essayer de négocier, la prochaine fois que vous achèterez une voiture neuve, ayez recours à la solution de l'offre d'achat ferme. En voici l'a b c.

A. SÉLECTION

Quelle marque et quel modèle allez-vous choisir? Ce choix marquera la première étape du processus de sélection de la voiture. Vous pourrez prendre cette décision sans vous rendre chez un concessionnaire; il vous suffira de lire des publications sur les autos neuves, de consulter les annonces publicitaires ou de discuter avec des amis, des voisins ou des connaissances qui ont fait récemment l'acquisition d'une nouvelle auto. Cette étape revêt une importance particulière, étant donné que plus vous serez renseigné avant d'aller à la recherche d'une auto, moins vous perdrez de temps à en faire l'achat. Je vous recommande fortement les publications traitant des automobiles neuves, car elles vous permettront de comparer de nombreux éléments, y compris la performance et le prix.

Si votre décision n'est pas prise, vous devriez au moins avoir une bonne idée de ce que vous recherchez. Vous êtes prêt maintenant à rendre visite aux concessionnaires. Observez les règles suivantes:

1) **Une seule personne prend la parole.** Si vous achetez la voiture avec votre conjoint, vous devriez choisir un porte-parole. Peu importe que ce soit l'époux ou l'épouse, à condition que le vendeur puisse s'adresser à un seul interlocuteur. À l'exception des formules de politesse habituelles, l'autre observera un silence poli tandis que celui qui parle posera ou répondra à toutes les questions.

2) **Abordez le premier vendeur que vous apercevrez.** Peu importe qu'il vous paraisse

sympathique ou non; vous n'allez pas engager des négociations, vous allez effectuer une suite d'opérations. Le vendeur ne doit surtout pas devenir un copain susceptible de vous rendre service; il ne doit rien savoir à votre sujet ni vous au sien. Dites-lui que vous songez à faire l'acquisition d'une nouvelle voiture et que vous aimeriez jeter un coup d'oeil sur ce qui est disponible. Il se peut tout de même qu'il vous accompagne.

3) **Contournez les questions.** Évitez toutes les questions qui visent à obtenir des informations précises sur vos préférences. On vous demandera par exemple: "Cherchez-vous quelque chose en particulier?", "Quel prix êtes-vous prêt à payer?", "Voulez-vous que l'on reprenne votre voiture actuelle?" Soyez vague lorsque vous répondrez. "Je ne sais pas trop", "Ça dépend", "Peut-être".

4) **Continuez à chercher.** Si vous voyez une auto qui vous convient, n'hésitez pas à poser toutes sortes de questions ou à demander de faire un essai, si cela vous intéresse. Manifestez ensuite le même intérêt pour un autre véhicule.

Si vous en avez essayé un, essayez-en un autre; ne donnez pas l'impression d'avoir jeté votre dévolu sur une voiture en particulier, même si c'est le cas.

5) Notez le prix mais refusez d'en discuter. Prenez note du prix proposé par le fabricant, mais refusez toute discussion ou négociation sur le sujet en affirmant: "Je ne suis pas prêt à discuter du prix des voitures."

6) Ne vous engagez pas. Si vous voulez donner votre propre auto en échange, ne laissez pas le vendeur l'évaluer. N'acceptez pas non plus de garder de voiture chez vous pour quelques jours, même s'il y en a une qui vous intéresse plus particulièrement. Contentez-vous d'accepter la carte de visite du vendeur, en le remerciant et en lui disant que vous le contacterez si vous décidez d'acheter une voiture.

7) Prenez une décision. Il vous faudra certainement rendre visite à deux concessionnaires avant de fixer votre choix sur une marque et un modèle particuliers. Après les avoir choisis, passez à l'étape B.

B. PLANIFICATION

Après avoir sélectionné la marque et le modèle de votre prochaine voiture, ainsi que les accessoires optionnels que vous désirez, planifiez votre achat de la façon suivante:

1) Évaluez vous-même la valeur de reprise de votre auto. Si vous voulez qu'on vous reprenne votre voiture actuelle, vous devrez en connaître la valeur réelle. Il y a deux façons d'en découvrir la valeur approximative et un moyen sûr d'en connaître la valeur précise. La façon la plus simple est de lire les petites annonces dans les journaux. Notez les prix demandés, durant une période de deux ou trois semaines, pour les voitures du même modèle que la vôtre. Ne prenez ni les prix les plus élevés ni les prix les plus bas, choisissez le prix moyen; réduisez-le de 15%. Car il ne faut pas oublier que les prix que vous avez notés sont *des prix de détail* et que vous allez négocier *un prix de gros*. Le concessionnaire, lui, va revendre votre auto *au prix de détail*.

Vous pouvez également lire les guides qui

annoncent la valeur de reprise des autos d'occasion. Si vous le faites, je vous recommande le *Canadian Red Book*. Ce guide est approuvé par la Fédération canadienne des concessionnaires automobiles; les concessionnaires, les compagnies d'assurances et les institutions financières s'en servent beaucoup. Publié mensuellement, il indique les prix moyens, de détail et de gros, des voitures nord-américaines et importées. De plus, il donne un coefficient qui varie selon la région. Il faut cependant être conscient que ce guide ne vous donnera qu'une idée approximative de la valeur au prix de gros de votre auto. Car étant donné qu'il s'agit d'une valeur "moyenne", votre véhicule se vendra, selon son état, à un prix supérieur ou inférieur à celui indiqué dans le guide.

Pour connaître cette valeur de façon plus certaine, allez rendre visite à quelques revendeurs de véhicules d'occasion qui reprennent les voitures sans passer par un intermédiaire. Vous trouverez leur adresse dans le bottin téléphonique. La somme qu'ils vont vous offrir correspondra au prix de gros. Vous vous déciderez peut-être, en fin de compte, à vendre votre automobile vous-même pour empocher la différence entre le prix de gros et le prix de détail. N'oubliez pas, cependant, qu'il vous faudra payer les annonces, organiser la vente et fournir les documents nécessaires. Vous devrez, de plus, choisir le bon moment pour conclure votre transaction et acheter votre nouvelle auto pour ne pas vous retrouver sans véhicule alors que vous en avez besoin.

2) Planifiez vos finances. Combien vous coûtera, environ, votre nouvelle voiture? Pour trouver le prix approximatif, prenez le prix étiquette du fabricant, réduisez-le de 10%, soustrayez la valeur de reprise de votre auto et ajoutez la taxe de vente provinciale au montant obtenu. Aucun de ces chiffres n'est exact; vous cherchez tout simplement à établir un prix approximatif. Vous devrez ajouter ensuite toute dette relative à votre auto, sans oublier le montant des frais de règlement de la dette s'il y a lieu. Le chiffre final vous indiquera approximativement le montant nécessaire à l'achat.

S'il vous faut emprunter une certaine somme pour couvrir le montant de votre achat, appelez votre banque, votre caisse populaire, la société de fiducie ou autre source de financement de votre choix pour prendre les mesures nécessaires. Déplacez-vous, s'il y a lieu, afin de vous assurer d'avoir l'argent nécessaire au moment où vous en aurez envie. Informez la personne responsable des prêts que vous pourriez avoir besoin d'un peu plus ou d'un peu moins que la somme mentionnée. Calculez vos paiements mensuels en fonction du montant et du taux d'intérêt du prêt et informez-vous de la nature et du coût de l'assurance comprise dans vos versements. Souvent, l'assurance-vie est incluse d'office dans les prêts consentis par la plupart des institutions prêteuses.

Je ne veux pas exclure la possibilité d'obtenir un financement du concessionnaire; ce qu'il faut éviter, c'est tout lien entre le financement du véhicule et le prix payé. Vous verrez pourquoi plus loin. **Maintenant, vous êtes prêt à magasiner pour trouver une nouvelle auto.**

3) Le *magasinage*. Prenez rendez-vous chez deux concessionnaires qui vendent l'auto qui vous intéresse. Bien sûr, cela comprend tous

ceux que vous avez rencontrés durant l'étape de la sélection. Demandez à voir le vendeur qui a répondu à vos questions lors de votre visite. Si vous cherchez à faire reprendre votre voiture, assurez-vous, en téléphonant, que le concessionnaire pourra l'évaluer dès votre arrivée. Demandez-lui combien de temps cela prendra.

Une fois arrivé chez le concessionnaire, demandez n'importe quel renseignement sur la voiture, sauf le prix. Il ne doit jamais être question de prix entre vous. Essayez la voiture pendant qu'on est en train d'évaluer la vôtre.

Si vous n'offrez pas votre auto en reprise, essayez celle que vous désirez acheter, même si vous l'avez déjà fait. Pendant l'essai, arrêtez-vous un moment pour noter les trois choses suivantes. Tout d'abord, inscrivez le numéro de série. Vous le trouverez sur une plaque de métal, visible à travers le pare-brise, du côté du conducteur. Ensuite, reproduisez le tableau technique du fabricant. Troisièmement, prenez note de toutes les égratignures ou autres imperfections, en les inscrivant sur le même bout de papier. Ces renseignements seront de toute première importance si vous décidez d'acheter la voiture.

De retour chez le concessionnaire, vous ne devrez pas lui demander la valeur de reprise de votre auto ni lui donner d'idée précise de votre évaluation de la nouvelle voiture. Dites-lui que vous avez besoin de renseignements supplémentaires avant de lui acheter un véhicule.

Posez ensuite des questions sur l'aspect du service après vente. Depuis combien de temps le concessionnaire est-il établi? De quand date le dernier changement de direction actuelle? Combien de jours faut-il avertir à l'avance si on veut prendre rendez-vous? Combien y a-t-il d'aires de service? Demandez, d'ailleurs qu'on vous fasse visiter cette partie des installations. Demandez aussi combien de temps il faudrait attendre avant qu'on s'occupe de votre voiture si vous deviez l'amener le matin et que vous soyez pressé? Le concessionnaire offre-t-il des véhicules de courtoisie, ou faut-il les louer? Combien emploie-t-il de mécaniciens? Laissez le vendeur vous persuader des avantages de son établissement. Vous pourrez même lui demander de vous présenter le personnel de service. Il est essentiel que vous sachiez à quoi vous attendre en ce qui concerne le service.

Refusez de parler prix; dites au vendeur que vous retournerez le voir après avoir consulté d'autres personnes. Faites la même chose chez un autre concessionnaire.

C. L'ACHAT

Appelez les deux concessionnaires pour prendre rendez-vous, en disant à chacun des vendeurs que vous aimeriez discuter de l'achat de la voiture que vous avez essayée. Dès que vous avez choisi les deux concessionnaires qui vous intéressaient, téléphonez le jour même ou le lendemain.

Maintenant, mettez-vous à la place du vendeur. Lorsque vous êtes venu la première fois, vous avez agi comme le font beaucoup de gens qui sont à la recherche d'une voiture; le vendeur n'a pas vu de différence entre vous et un acheteur normal. Il vous a consacré du temps, sans vous vendre la voiture. Vous êtes retourné chez lui; vous avez essayé une auto neuve et fait évaluer la vôtre. Il a dû vous consacrer plus de temps encore mais il ne vous a toujours pas vendu de voiture. Il a pris ensuite le temps de vous renseigner sur le concessionnaire et son service après vente, toujours sans conclure de vente. À présent, vous retournez chez lui parce que vous avez trouvé la voiture qu'il vous faut et il maintenant il va vous la vendre.

C'est ce qu'il pense!

En fait, il ne vous la vend pas, c'est vous qui allez acheter une voiture chez lui, ou chez un autre vendeur, pourvu que ce soit au prix le plus avantageux.

Voici la marche à suivre pour y arriver. Vous devrez utiliser deux des cartes d'identification d'acheteur à prix d'achat ferme que vous trouverez dans ce livre, soit une pour chacun des concessionnaires choisis. Remplissez-les avec soin.

1. Inscrivez le nom du concessionnaire, celui du vendeur, ainsi que vos nom et numéro de

téléphone au recto de la carte. Au verso, indiquez le numéro de série de la nouvelle voiture et celui de la vôtre, si vous l'offrez comme valeur de reprise (dans ce cas il vous faudra préciser qu'il y a une reprise).

2. Adressez-vous au vendeur dès votre arrivée chez le concessionnaire. Dites-lui qu'il est inutile de discuter de l'achat de la voiture, puisque vous êtes un acheteur à prix d'achat ferme. Donnez-lui la carte d'identité d'acheteur à prix d'achat ferme, en lui demandant s'il a des questions concernant les quatre points énoncés au verso. Voici la liste des points en question.

Achat d'une automobile à prix ferme

1. Je vais faire l'achat d'une voiture. Il est possible ou non que je l'achète chez vous. J'ai essayé deux voitures chez deux concessionnaires différents et elles répondent toutes deux à mes exigences.

2. J'aimerais avoir un prix net, non négociable, pour la voiture (N° de série). Ce prix doit

inclure le coût des plaques d'immatriculation (s'il y a lieu), ainsi que toutes les taxes applicables (assurances non comprises). ☐ Moins reprise de la voiture (N° de série). ☐ Reprise non applicable.

3. Le prix d'achat ferme que vous me proposerez est le seul que je vais considérer. Il devra être approuvé par le concessionnaire. Si j'achète la voiture chez vous, je donnerai un acompte et vous remettrai un chèque visé pour le solde à payer à la livraison de la voiture.

4. Je vais arrêter ma décision dans les 24 heures qui suivent, mais j'aimerais mieux acheter la voiture au plus tôt, aujourd'hui de préférence. Cependant, si le contrat de vente devait différer d'une quelconque façon des spécifications du fabricant ou des procédures décrites plus haut, je n'achèterais pas chez vous.

Attendez-vous à ce que le vendeur en lisant ces lignes, grimace, du moins intérieurement. Que ce soit ou non sa première rencontre avec un acheteur à prix ferme, ce qu'il lira ne lui plaira pas. N'attendez pas qu'il se mette à vous poser des questions. Faites-lui les précisions que voici.

— Soulignez le fait qu'il y a deux voitures, chez deux concessionnaires différents qui répondent à vos exigences et que vous allez acheter celle qui coûte le moins cher.

— Informez-le que votre chèque visé va correspondre exactement à son prix net, moins votre acompte et que vous lui demanderiez par conséquent de bien vouloir calculer les taxes avec exactitude. Votre carte comporte les mots "s'il y a lieu" après "les plaques d'immatriculation" parce que celles-ci ne sont pas exigées dans les provinces où elles sont transférées lors d'une vente avec reprise. Si ce n'est pas le cas, il vous faudra acheter de nouvelles plaques et le prix de celles-ci devra donc être inclus. Si le vendeur affirme qu'il n'est pas nécessaire de lui donner un chèque visé, vous lui répondrez simplement: "C'est comme ça que je mène mes affaires". Cela prouvera votre sérieux.

— Demandez-lui combien de temps cela va prendre pour avoir son prix. Si c'est moins d'un quart d'heure, dites-lui que vous attendrez, sinon qu'il n'aura qu'à vous téléphoner.

— Ajoutez que vous préférez avoir de ses nouvelles dans très peu de temps, mais que vous lui accorderez un délai de 24 heures.

Maintenant votre vendeur est pris dans un dilemme. Vous avez détruit son rêve de pouvoir conclure une vente avec une grosse commission. Il sait à présent que vous n'êtes pas l'esclave de vos désirs et que pour réaliser seulement une partie de son rêve, il devra travailler très fort et vous offrir une voiture à un prix qui ne lui laissera pas beaucoup de marge de manoeuvre. Cependant, le guérillero, même désarmé, peut se révéler dangereux. Attendez-vous à ce qu'il contre-attaque de la manière suivante:

— Il vous demandera peut-être d'autres renseignements, comme par exemple: "À peu près combien prévoyez-vous payer?" Ou alors, il pourrait demander: "Si j'offre un prix qui vous convient, achèterez-vous la voiture tout de suite?"

— En guise de preuve de votre bonne foi, il aimerait que vous vous engagiez financièrement en lui remettant un chèque qui couvrirait, par exemple, une petite partie du prix d'achat.

— Il aimerait savoir le prix offert par l'autre concessionnaire pour pouvoir vous offrir un meilleur prix.

— Si vous prenez la voiture tout de suite, l'anti-rouille et d'autres suppléments intéressants seront inclus dans le prix.

Ne tenez aucun compte de tout cela. Redites encore une fois que votre décision d'acheter sera prise dans les 24 heures qui vont suivre, mais qu'il vous sera peut-être possible de la prendre dans l'heure qui suit. Rappelez-lui que votre décision se basera sur le prix ferme le plus intéressant obtenu pour la voiture en question. Ne lui dites rien d'autre. Faites la même chose pour le deuxième concessionnaire.

Notez que si vous achetez une voiture plus personnalisée avec de nombreuses options, la tâche sera encore plus aisée. Après avoir choisi les spécifications désirées, présentez au vendeur votre carte d'acheteur à prix ferme avant qu'il ne vous fasse un prix. Même tactique chez le second vendeur. Bingo! Vous venez d'alimenter la compétition autour de votre achat éventuel, ce qui vous permettra ainsi de vous en tirer à meilleur compte.

Lorsque vous aurez vos deux prix, vous devrez agir rapidement. Vos offres, chez l'un ou l'autre des concessionnaires, n'étant soumises à aucun engagement. Si un autre acheteur se présentait en offrant plus d'argent pour la même voiture, vous risqueriez de perdre l'objet de votre convoitise. Même si le vendeur vous écrivait un prix sur sa carte de visite en disant qu'il vous réserve la voiture, un tel engagement n'aurait aucun poids légal.

À moins que vous n'achetiez une voiture personnalisée, les deux véhicules n'auront probablement pas les mêmes options et il y aura sûrement une différence de prix. Les deux vendeurs ne se trouvent pas à la même distance de votre maison et cela aussi devra influer sur votre décision car votre perception du service après-vente pourrait en être affectée. Il faut tenir compte de tous ces facteurs quand vous comparerez le prix des voitures.

Lorsque vous aurez effectué votre choix, comparez votre mode de financement avec celui que peut vous offrir le concessionnaire. Après avoir signé le contrat, faites-lui part de votre mode de financement (quel montant d'argent vous rembourserez, en combien de paiements, etc.). Demandez-lui ce qu'il peut vous proposer. S'il vous offre mieux à tous les égards (n'oubliez pas les détails de l'assurance-vie et/ou invalidité), faites-lui une faveur, ainsi qu'à vous, et adoptez le mode de financement du concessionnaire.

Rappelez-vous qu'il est important d'utiliser vos cartes d'acheteur à prix ferme plutôt que d'expliquer votre méthode d'achat. Elles sont non seulement simples et directes mais elles montrent que vous êtes sérieux. Votre carte permettra également au vendeur de convaincre son gérant.

Dernier détail, mais non le moindre, avant de signer le contrat de vente, ajoutez, à la main, que tout dommage ou imperfection trouvé sur la voiture doit être réparé chez le concessionnaire. Vérifiez que tous les montants à rajouter apparaissent sur le contrat et qu'ils sont approuvés (si vous avez une calculatrice avec vous, le processus en sera accéléré). Vérifiez le numéro de série et toutes les spécifications du fabricant. N'achetez pas de voiture que vous n'ayez préalablement essayée. Et n'oubliez pas d'examiner tout ce qui a été mentionné plus haut quand on vous livrera la voiture.

Vous voyez, c'est l'a b c de la méthode: Vous **choisissez**, vous **planifiez** et vous **achetez** sans avoir à négocier quoi que ce soit ni à vous préoccuper de la valeur réelle de votre transaction. Et vous êtes conscient d'avoir fait un bon achat parce que vous rançonnez le vendeur en exploitant son désir de vendre plutôt que de le laisser vous prendre en otage. Vous avez acheté au meilleur prix en utilisant *la méthode de l'offre d'achat ferme*.

3.

L'ACHAT D'UNE VOITURE
D'OCCASION

Imaginez que vous voulez adopter un enfant et que vous vous êtes laissé attendrir par un garçonnet de six ans nommé Johnny. Il est orphelin et l'agence d'adoption vous a donné l'autorisation de l'accueillir chez vous pour le week-end. Tout va bien. Vous voyez bien quelques petits problèmes qui pourraient éventuellement survenir mais vous croyez pouvoir facilement les surmonter. Vous adorez cet enfant.

Votre conjoint et vous rencontrez l'agent d'adoption à son bureau. Vous êtes tellement inquiets de savoir si votre demande d'adoption allait être acceptée que vous ne vous êtes même pas demandé si Johnny était l'enfant qu'il

45

vous fallait. L'agent d'adoption attend que vous vous sentiez à l'aise, puis vous lance: "Vous savez, il y a beaucoup de parents qui refuseraient d'adopter Johnny, à cause des feux."

Vous avalez votre salive: "Des feux?"

"Mais oui, on a sûrement dû vous mentionner qu'il avait, jusqu'à ce jour, allumé six foyers d'incendie — pour tout dire, deux maisons ont brûlé de fond en comble."

Vous êtes sidérés, complètement bouleversés, puis vous arrivez à articuler péniblement: "Non, non, personne ne nous a avertis à propos des feux."

Comment ont-ils pu omettre une information aussi grave? Comment ont-ils pu, dans ces conditions, vous confier Johnny pour le weekend? Comment ont-ils pu vous laisser, d'abord tomber sous le charme du petit, pour ensuite vous raconter l'histoire des feux?

Vous ressentiriez une certaine aigreur et vous vous remettriez en question, n'est-ce pas?

Un tel scénario est évidemment farfelu. Cependant, ce genre de scénario, avec les remises en question qu'il comporte, se produit régulièrement, non pas lors de l'adoption d'un enfant, mais lors de l'achat d'une voiture d'occasion.

L'avantage majeur de l'achat d'une voiture d'occasion est évidemment le prix. Au moment même où la vente d'une voiture neuve est conclue, sa valeur se déprécie à un rythme alarmant — approximativement 25% pendant la première année, 15% pendant la seconde et 10% pendant la troisième. Le plus grand risque inhérent à l'achat d'une voiture d'occasion réside dans l'expérience que chaque voiture a eue. Une voiture d'occasion est une orpheline, une voiture dont le propriétaire ne veut plus. C'est à cette réalité que l'acheteur doit faire face.

Quand vous achetez une voiture neuve, le prix est le facteur déterminant lors de l'achat. Avec une voiture d'occasion, un autre facteur intervient — tout aussi important pour en déterminer la valeur — son histoire et la possibilité qu'elle présente des problèmes dans le futur. Lors de l'achat de votre prochaine voiture d'occasion, la solution du prix d'achat ferme vous aidera à faire une bonne affaire, mais il est essentiel de connaître l'histoire de la voiture. Vous devez savoir pourquoi son propriétaire veut s'en défaire.

Voici les étapes à suivre pour épargner à l'achat de votre prochaine voiture d'occasion. La séquence A, B et C se présente, cette fois-ci, dans cet ordre: **planification, sélection** et **achat.**

A. PLANIFICATION

1. Apprêtez-vous à connaître l'histoire de la voiture. Aussitôt que vous avez pris la décision d'acheter une voiture d'occasion, vous devez d'abord passer par les trois étapes suivantes avant de faire quoi que ce soit.

— Rien ne sert de demander à un ami "qui connaît les autos" de jeter un coup d'oeil sur une voiture avant que vous l'achetiez. Vous avez besoin d'une inspection professionnelle

consciencieuse. Trouvez un mécanicien auto-
risé qui inspectera la voiture. Demandez-lui
quel sera le coût de son travail et quelles vérifications il effectuera. Si c'est possible, faites affaire avec votre garage habituel. Les employés,
voulant vous revoir, seront donc plus intéressés
à s'occuper de vous.

— Procurez-vous ensuite une copie du plus
récent "Guide d'achat des voitures usagées"
publié par l'Association canadienne des auto-
mobilistes (ACA). Vous le trouverez dans votre localité ou en écrivant directement à la
ACA (ou CAA) au 1775 Courtwood Crescent,
Ottawa, Ontario, K2C 3J2, tél.: (613) 226-7631.
Le guide coûte 3$. C'est une excellente source
d'informations; il peut vous aider à faire l'exa-
men d'une voiture d'occasion pour déceler les
dommages ou problèmes graves (avant que votre mécanicien ne l'inspecte); il contient d'autres trucs intéressants, mais, plus important
encore, ce guide publie un tour d'horizon des
performances, effectué par des conducteurs
canadiens. Non seulement il donne le degré de
satisfaction des conducteurs selon les différentes marques et modèles mais il rapporte aussi

la fréquence des réparations, ce qui peut donner une bonne indication des problèmes qui pourraient survenir.

Je vous recommande aussi fortement le livre de Phil Edmonston, "Auto-Conseil 88". Ce manuel est rempli de conseils sur les voitures d'occasion et les évaluations. Il contient en outre un chapitre très détaillé sur l'inspection personnelle de la voiture d'occasion et l'auteur y donne, de plus, une liste de vérifications pour votre mécanicien. Vous pouvez utiliser au moins une des deux références données plus haut.

— Enfin, deux autres informations peuvent être nécessaires. La première est une formule de recherche du ministère provincial des Transports. Cette recherche identifie tous les propriétaires précédents d'une voiture particulière et la durée de possession correspondant à chacun d'eux. Ces informations sont communiquées par le secteur de la recherche de toutes les provinces, exception faite de la Saskatchewan et de la Nouvelle-Écosse. Si vous achetez une voiture d'un particulier, vérifiez les droits de rétention sur l'auto qui vous intéresse. L'accès à ces informations varie d'une province à l'autre. Votre notaire devrait pouvoir vous aider à recueillir ces informations et, si vous le désirez, vous les fournir directement.

Si vous ne voulez pas utiliser les services d'un notaire, vous trouverez plus loin la liste des principaux organismes pouvant vous fournir ces deux informations. Pour retrouver tous les propriétaires précédents d'une voiture, commencez par le Bureau des véhicules automobiles relié au ministère provincial des Transports de votre province. Pour les informations sur les droits de rétention, appelés titres de propriété personnelle, contactez le Bureau du procureur général ou le ministère fédéral de la Consommation et des Corporations. Avant de téléphoner assurez-vous que c'est le bureau le plus près de chez vous, afin d'éviter des frais d'interurbain inutiles.

Vous pouvez choisir d'utiliser ou non ces deux informations selon l'âge de la voiture que vous achetez et son propriétaire actuel. N'hésitez pas à aller chercher ces renseignements; ces informations peuvent sauver temps et argent.

Rappelez-vous qu'il existe une grande quantité d'orphelins que vous ne voulez pas adopter. Ils ont été accidentés, malmenés par leurs propriétaires ou ce sont tout simplement des *citrons*. **Mais dites-vous bien que, finalement, quelqu'un va les acheter.**

Avec les guérilleros, on n'est jamais trop prudent.

Principaux organismes d'information sur les titres de propriété personnelle:

Alberta *Office of the Manager*
Personal Property Regist. Administration
Department of the Attorney General
13th Floor, A.E. LePage Building
10130-103 Street
Edmonton, Alberta
T5J 3N9
Téléphone: (403) 427-2070

Colombie-Britannique *Central Registry —*
Lien Searches
Ministry of Consumer & Corporate Affairs
940 Blanshard Street
Victoria, British Columbia
V8W 3E6
Téléphone: (604) 387-6881

Manitoba *Registrar*

Personal Property Registry
Department of the Attorney General
15th Floor, 405 Broadway Avenue
Winnipeg, Manitoba
R3C 3L6
Téléphone: (204) 945-2656

Nouveau-Brunswick *Registrar*

Chief Registrar of Deeds
County Court House
P.O. Box 6000
Fredericton, New Brunswick
E3B 2H1
Téléphone: (506) 453-2963

Terre-Neuve *Registrar*

Registry of Bills and Sales
Department of Justice
P.O. Box 4750
Elizabeth Towers
Elizabeth Avenue
St. John's, Newfoundland
A1C 5T7
Téléphone: (709) 737-2904

Territoires du Nord-Ouest   *Deputy Registrar*
of Legal Registries
Department of Justice and Public Services
Government of the Northwest Territories
Yellowknife, Northwest Territories
X1A 2L9
Téléphone: (403) 873-7492

Nouvelle-Écosse   *Registrar of Deeds*
P.O. Box 2205
Halifax, Nova Scotia
B3J 3C4
Téléphone: (902) 424-8571

Ontario   *Personal Property Security Regist.*
Ministry of Consumer & Commercial Rel.
P.O. Box 4120, Postal Station A
Toronto, Ontario, M5W 1T2
Téléphone: (416) 963-0461

Île-du-Prince-Édouard   *Prothonotary Office*
Law Courts Building
P.O. Box 2290
Charlottetown, Prince Edward Island
C1A 7K4
Téléphone: (902) 892-9131

Québec   *Bureau d'enregistrement de Montréal*
1 est, Notre-Dame, N°2.175
Montréal, Québec
H2Y 1B6
Téléphone: (514) 393-2055

Saskatchewan   *Registrar*
Personal Property Registry
1942 Hamilton Street, 2nd Floor
P.O. Box 7128
Regina, Saskatchewan
S4P 3S5
Téléphone: (306) 565-5520

Yukon   *Corporate Affairs Administrator*
Government of Yukon
P.O. Box 2703
Whitehorse, Yukon
Y1A 2C6
Téléphone: (403) 667-5225

Principaux organismes de recherche des propriétaires de véhicules

Alberta   *Department of the Sollicitor General*
Motor Vehicle Division Search Requests
7th-10th Floors, Park Square
1001 Bellamy Hill
Edmonton, Alberta
T5J 3B6
Téléphone: (403) 422-2243

Colombie-Britannique   *Ministry of Transport.*
& Highways
Motor Vehicle Division
Vehicle Records Section (Searches)
2631 Douglas Street
Victoria, British Columbia
V8T 5A3

Manitoba   *Ministry of Highways & Transport.*
Motor Vehicles Branch
Recors Vehicle Registration
1075 Portage Avenue
Winnipeg, Manitoba, R3G 0S1
Téléphone: (204) 945-7366

Nouveau-Brunswick *Department of Transport.*
Motor Vehicle Administration & Public
Safety Coordinator
Motor Vehicle Branch
5th Floor, Kings Place, Room 560
P.O. Box 6000
Fredericton, New Brunswick
E3B 5H1
Téléphone: (506) 453-2410

Terre-Neuve et Labrador *Department of*
Transport, Motor Registration Division
4th Floor, Viking Building
Crosbie Road
St.John's, Newfoundland
A1C 5T4
Téléphone: (709) 737-2519

Ontario *Ministry of Transportation*
& Communications
Vehicle Search Unit
East Building, 2680 Keele Street
Downsview, Ontario
M3M 2E6
Téléphone: (416) 248-3322

Île-du-Prince-Edouard *Highway Branch*
Division of High Safety
Registrar of Motor Vehicles
193 Grafton Street, P.O. Box 200
Charlottetown, Prince Edward Island
C1A 7N8
Téléphone: (902) 892-5306

Québec *Régie de l'assurance auto. du Québec*
880 Ste-Foy
Québec, Québec
G1S 2K8
Téléphone: (418) 643-3055

2. Évaluez vous-même votre transaction. Il serait inutile de répéter ce qui a été dit au chapitre précédent sur l'évaluation de votre voiture. Suivez ici la même procédure, sauf qu'en plus vous utiliserez le "Canadian Red Book" afin de trouver le prix de vente moyen de la voiture que vous désirez acheter; rappelez-vous cependant que ce n'est qu'un prix moyen. Il peut être avantageux de payer plus cher une voiture qui en vaut vraiment la peine.

3. Organisez vos ressources financières. Avant même d'aller jeter un coup d'oeil sur les voitures, décidez, non seulement de l'endroit où vous allez obtenir l'argent, mais aussi du montant maximum à investir dans cet achat. Il faut avant tout que vous considériez que vous achetez une voiture d'occasion parce que vous voulez être un conducteur content au lieu d'un conducteur frustré et que vous voulez la payer un prix moindre qu'une voiture neuve. Mais vous ne pourrez probablement pas comparer deux modèles semblables ou deux marques pareilles comme vous le feriez si vous achetiez une voiture neuve. Alors, faites votre entrée dans la jungle avec le prix maximum que vous voulez payer, fermement ancré dans votre tête.

B. SÉLECTION

Vous avez le choix entre acheter d'un particulier, prospecter chez les commerçants de voitures d'occasion ou les deux. Certaines personnes vont regretter leur achat, de toutes façons, selon les expériences qu'elles auront eues. À un endroit comme à l'autre, vous pouvez faire une bonne affaire, mais il ne faut pas oublier que vous devez trouver deux autos qui vous conviennent. En effet, vous ne pouvez vous permettre d'être l'esclave de vos désirs simplement parce qu'une voiture d'occasion est moins chère qu'une neuve. Vous devez en trouver deux qui correspondent à vos besoins et qui sont à peu près de la même valeur. Tenez-vous prêt ensuite à alimenter le désir du vendeur.

1. Ventes de particuliers. Si vous désirez acheter d'un particulier et que vous voulez vendre votre voiture actuelle, vous devrez le faire, que ce soit à un particulier ou par un concessionnaire, dans une transaction à part. Dans tout achat qui met en cause un particulier, vérifiez le titre de propriété personnelle, car vous pourriez, sinon, vous en repentir. S'il existait, sur le véhicule, un prêt ou une réclamation non payée dont le vendeur ne vous avait pas parlé, vous pourriez être obligé de payer la dette ou voir repartir votre orphelin.

Si une voiture vous intéresse particulièrement, il serait sage de demander à son propriétaire pourquoi il désire la vendre, depuis combien de temps il l'a et s'il y a des droits de rétention sur la voiture. Vous devez à tout prix faire un essai routier et, avec la permission du propriétaire, la tester en suivant les indications décrites dans l'un des guides recommandés plus haut. Prenez note également du numéro de plaque d'immatriculation au cas où vous décideriez d'entreprendre une recherche poussée des anciens propriétaires de la voiture.

2. Ventes commerciales de voitures d'occasion. Relisez les sept étapes de sélection décrites au 2e chapitre. Elles s'appliquent aux voitures que vous achetez chez un vendeur de voitures d'occasion et non aux voitures vendues par des particuliers.

Comme pour l'achat d'une voiture neuve, vous devez apprendre tout ce dont vous avez besoin de savoir sans qu'un éventuel vendeur ait à connaître, sur vous, plus que ce que vous voulez bien lui dire. Ne vous entichez pas d'un orphelin susceptible de vous abandonner sur une autoroute éloignée deux jours après en avoir effectué l'achat. Et, finalement, sachez ce que vous pouvez en tirer et le montant approximatif que vous aurez à débourser.

C. ACHETER

1. Acheter d'un particulier. Lorsque vous achetez d'un particulier, votre transaction revêt un caractère différent pour quatre raisons importantes. La personne qui vend:

- N'a qu'une seule voiture à vendre;
- Ne tire pas son revenu de la vente de ce véhicule;
- A des "droits acquis" sur cette automobile qui valent plus que de l'argent. L'auto est devenue une partie de sa vie;
- A de fortes chances de surévaluer la valeur de son bien.

Par conséquent, si vous choisissez d'acheter d'un particulier, vous auriez intérêt à tenir compte des conseils suivants:

— Si la voiture est âgée de moins de 2 ans et que vous croyez qu'elle est vendue par son propriétaire original, passez directement au point c. Vous n'avez pas à chercher les propriétaires précédents.

— Si la voiture a de plus de 2 ans — ou moins de 2 ans, tout en ayant eu plus d'un propriétaire — faites vos recherche le plus tôt possible. Rappelez-vous que vous aurez besoin du numéro de la plaque d'immatriculation. Lorsque vous aurez les informations, étudiez l'histoire de la voiture. Je vous suggère de ne pas vous attarder aux véhicules qui ont eu plus d'un propriétaire en deux ans. Si vous vous intéressez à une voiture de trois ans qui a eu quatre propriétaires, vous avez affaire à un orphelin qui a probablement fait quelque mauvais coup. Il a peut-être même provoqué des incendies...

Si la voiture a eu un ou deux propriétaires avant celui qui vous la vend, téléphonez au plus récent et expliquez-lui pourquoi vous appelez. Ne lui mentionnez pas seulement que vous voulez avoir des informations sur l'auto en question. Dites-lui: "C'est une importante décision à prendre pour ma famille et moi". Puis, rajoutez: "Je risque de perdre mon emploi si je n'arrive pas à l'heure avec cette auto." Ou: "Il y va de la sécurité de mes enfants que je vais reconduire chaque matin." Pas besoin de mentir. Trouvez seulement quelque chose qui vous tient à coeur et faites-lui en part. Si vous lui communiquez votre préoccupation de trouver une voiture sur laquelle vous pouvez compter, la personne vous répondra probablement avec honnêteté. Après tout, elle ne devrait plus être liée, sentimentalement, à cette voiture. N'oubliez pas aussi de vous informer de la consommation d'essence et des coûts d'entretien.

— Quand vous serez sûr que la voiture ne présente pas de problèmes majeurs, dites au propriétaire, tout en l'examinant de nouveau: "Je dois choisir entre deux voitures. Je sais que vous demandez X dollars, mais si je reviens demain avec un chèque visé, à quel prix me la laisseriez-vous?" Ne rajoutez rien. Ne regardez même pas le propriétaire. Regardez l'auto. Faites glisser votre main sur les côtés de la voiture. Si la personne continue de justifier son prix, répétez simplement que vous devez choisir entre deux voitures et que vous voulez connaître son dernier prix (celui que vous allez inscrire sur votre chèque visé le lendemain). Rappelez-vous que vous n'êtes pas là pour **négocier** un prix, mais pour **établir** le plus bas prix possible.

— N'utilisez pas vos cartes d'**identification d'acheteur à prix ferme** lorsque vous voulez acheter à un particulier, car sa motivation principale n'étant pas d'obtenir une commission, mais d'avoir ce qu'il estime être la valeur exacte de son véhicule, la carte pourrait bien avoir sur lui l'effet contraire et l'amener à penser que vous essayez de profiter de lui. De toutes façons, il ne comprendrait pas ce que vous attendez de lui.

— Lorsque vous avez le prix, même s'il demeure semblable au prix demandé, ajoutez la taxe de vente (s'il y a lieu) pour obtenir le prix final. Ceci est **votre** responsabilité. Si c'est le premier des deux finalistes que vous rencontrez, dites-lui que vous lui donnerez votre réponse plus tard dans la journée. Ne laissez pas d'acompte, mais rappelez-vous que ce "prix" n'oblige pas, légalement, le propriétaire à vous vendre la voiture.

— Une fois que vous vous êtes décidé pour une des voitures, vous devez effectuer certaines opérations. Tout d'abord l'auto doit être vérifiée par votre mécanicien. Exigez cette inspection aussitôt que vous vous êtes mis d'accord sur le prix. La vérification faite, demandez une attestation certifiant que la voiture est en bon état (si c'est nécessaire dans la province où vous résidez); c'est votre vendeur qui a la responsabilité de vous la fournir. Il faudra aussi que votre vendeur vous fournisse une facture de vente — facture que vous pouvez vous procurer au Bureau des véhicules automobiles du ministère des Transports de la province. C'est d'ailleurs à cet endroit que vous devrez payer les taxes sur la vente.

Nous arrivons maintenant à la partie délicate de l'opération. Si le vendeur doit rembourser son prêt avec l'argent que vous lui remettez, vous devez vous assurer que le remboursement sera fait. Vous avez trois choix:

● Si vous devez emprunter pour effectuer cet achat, vous pouvez demander à votre institution financière — puisque c'est elle qui va enregistrer l'emprunt consenti pour l'achat de votre nouvelle voiture — de vérifier les emprunts déjà enregistrés, de rembourser l'argent dû par le vendeur et de lui payer ce qui lui revient.

● Vérifiez vous-même le titre de propriété, comme nous l'avons décrit au début de ce chapitre, et complétez la transaction dans le bureau responsable de l'emprunt du client (banque, compagnie financière, etc.). Payez le montant dû, obtenez un reçu qui prouve que le titre de la voiture est maintenant libre et versez la différence au vendeur.

● Prenez un notaire qui complétera la transaction et s'occupera de tous les papiers.

Les deux premières méthodes sont habituellement moins onéreuses que celle qui requiert les services d'un notaire, car les institutions financières sont directement intéressées à garantir leurs prêts (souvent même, elles ne facturent que leurs frais). Quelle que soit la méthode que vous choisirez, assurez vous que la voiture soit libre de toute dette quand vous en prendrez possession. Vous devriez également contacter votre courtier d'assurance pour être sûr d'avoir à temps votre police et les papiers d'attestation.

2. Acheter chez un vendeur de voitures d'occasion. Pour acheter chez un vendeur de voitures d'occasion, il est recommandé de suivre certaines étapes:

— Si la voiture a moins de deux ans, demandez le nom, l'adresse et le numéro de téléphone du dernier propriétaire. Téléphonez-lui et posez-lui les mêmes questions que vous poseriez à un particulier. (Si le propriétaire refuse de vous informer, méfiez-vous! Il doit y avoir une raison.)

— Si l'auto a plus de deux ans, recherchez tous les propriétaires de la voiture à l'aide du numéro de la plaque d'immatriculation. L'information une fois obtenue, utilisez-la comme si vous achetiez d'un particulier. Si tout a bien fonctionné, vous êtes prêt à acheter.

— Retournez voir les deux vendeurs et donnez-leur à chacun une carte d'**acheteur à prix ferme** pour chacune des deux autos que vous avez retenues. Suivez la même méthode que si vous achetiez une voiture neuve. Ne donnez pas d'autres informations. Assurez-vous que les derniers prix obtenus incluent la taxe provinciale (s'il y a lieu). La taxe devra être incluse puisque vous le demandez au verso de la carte présentée au vendeur. Ne vous inquiétez pas des dettes éventuelles: c'est la responsabilité du vendeur de voitures d'occasion.

— Comme pour un particulier, votre achat devra être conditionnel à l'approbation de votre mécanicien. Ne laissez pas d'acompte qui ne serait pas complètement remboursable, au cas où le rapport de votre mécanicien serait négatif.

J'aimerais, ici, souligner deux points importants. Le premier concerne le temps que requiert la solution du prix d'achat ferme lorsque vous désirez une voiture d'occasion. Si vous achetez d'un particulier, vous devez vérifier les droits de rétention. Prenez le temps de compléter votre recherche, même si le temps que vous prendrez pour l'effectuer peut vous coûter la voiture. Je vous recommande cependant fortement de prendre ce risque. La voiture que vous achetez les yeux fermés pourrait vous coûter beaucoup plus en temps ou en argent et, dans des circonstances extrêmes, elle pourrait même vous coûter la vie. Les orphelins peuvent faire des mauvais coups, faites en sorte que le vôtre soit bien sage.

Le deuxième point est le suivant: ne vous attendez pas à ce que le compte rendu du mécanicien vous dépeigne une voiture parfaite. Un orphelin parfait, cela n'existe pas. Inévitablement, vous aurez à faire, à plus ou moins long terme, des réparations mineures. Le compte rendu vous garantit que vous n'achetez pas une voiture présentant des vices majeurs. Vous recherchez la qualité et du moment que vous avez une bonne idée des éventuelles réparations, vous pouvez tout de même la trouver, avec l'achat d'une voiture d'occasion.

Et voilà! La solution du prix ferme va s'appliquer à l'achat d'une voiture d'occasion parce que vous savez ce que vous voulez, ce qu'il faut regarder lorsqu'une voiture vous intéresse. Vous en connaîtrez l'histoire, vous l'aurez fait examiner par un mécanicien, et enfin, vous l'achèterez — avec votre carte d'**identification d'acheteur à prix ferme** — au prix le plus bas.

Carte d'identification d'acheteur à prix ferme ©

À _____
nom du vendeur

_____
nom du concessionnaire

Cette carte me désigne comme un acheteur à prix ferme. Vous trouverez au verso les procédures auxquelles je me conforme lorsque j'achète une voiture. Veuillez les lire.

_____
Nom

_____
N° de téléphone

Achat d'une automobile à prix ferme

1. Je vais faire l'achat d'une voiture. Il est possible ou non que je l'achète chez vous. J'ai essayé deux voitures chez deux concessionnaires différents et elles répondent toutes deux à mes exigences.

2. J'aimerais avoir un prix net, non négociable, pour la voiture (N° de série). Ce prix doit inclure le coût des plaques d'immatriculation (s'il y a lieu), ainsi que toutes les taxes applicables (assurances non comprises). ☐ Moins reprise de la voiture (N° de série). ☐ Reprise non applicable.

3. Le prix d'achat ferme que vous me proposerez est le seul que je vais considérer. Il devra être approuvé par le concessionnaire. Si j'achète la voiture chez vous, je donnerai un acompte et vous remettrai un chèque visé pour le solde à payer à la livraison de la voiture.

4. Je vais arrêter ma décision dans les 24 heures qui suivent, mais j'aimerais mieux acheter la voiture au plus tôt, aujourd'hui de préférence. Cependant, si le contrat de vente devait différer d'une quelconque façon des spécifications du fabricant ou des procédures décrites plus haut, je n'achèterais pas chez vous.

Carte d'identification d'acheteur à prix ferme ©

À_____

nom du vendeur

_____

nom du concessionnaire

Cette carte me désigne comme un acheteur à prix ferme. Vous trouverez au verso les procédures auxquelles je me conforme lorsque j'achète une voiture. Veuillez les lire.

_____

Nom

_____

N° de téléphone

Achat d'une automobile à prix ferme

1. Je vais faire l'achat d'une voiture. Il est possible ou non que je l'achète chez vous. J'ai essayé deux voitures chez deux concessionnaires différents et elles répondent toutes deux à mes exigences.

2. J'aimerais avoir un prix net, non négociable, pour la voiture (N° de série). Ce prix doit inclure le coût des plaques d'immatriculation (s'il y a lieu), ainsi que toutes les taxes applicables (assurances non comprises). ☐ Moins reprise de la voiture (N° de série). ☐ Reprise non applicable.

3. Le prix d'achat ferme que vous me proposerez est le seul que je vais considérer. Il devra être approuvé par le concessionnaire. Si j'achète la voiture chez vous, je donnerai un acompte et vous remettrai un chèque visé pour le solde à payer à la livraison de la voiture.

4. Je vais arrêter ma décision dans les 24 heures qui suivent, mais j'aimerais mieux acheter la voiture au plus tôt, aujourd'hui de préférence. Cependant, si le contrat de vente devait différer d'une quelconque façon des spécifications du fabricant ou des procédures décrites plus haut, je n'achèterais pas chez vous.

Carte d'identification d'acheteur à prix ferme ©

À _____

nom du vendeur

_____

nom du concessionnaire

Cette carte me désigne comme un acheteur à prix ferme. Vous trouverez au verso les procédures auxquelles je me conforme lorsque j'achète une voiture. Veuillez les lire.

_____

Nom

_____

N° de téléphone

Achat d'une automobile à prix ferme

1. Je vais faire l'achat d'une voiture. Il est possible ou non que je l'achète chez vous. J'ai essayé deux voitures chez deux concessionnaires différents et elles répondent toutes deux à mes exigences.

2. J'aimerais avoir un prix net, non négociable, pour la voiture (N° de série). Ce prix doit inclure le coût des plaques d'immatriculation (s'il y a lieu), ainsi que toutes les taxes applicables (assurances non comprises). ☐ Moins reprise de la voiture (N° de série). ☐ Reprise non applicable.

3. Le prix d'achat ferme que vous me proposerez est le seul que je vais considérer. Il devra être approuvé par le concessionnaire. Si j'achète la voiture chez vous, je donnerai un acompte et vous remettrai un chèque visé pour le solde à payer à la livraison de la voiture.

4. Je vais arrêter ma décision dans les 24 heures qui suivent, mais j'aimerais mieux acheter la voiture au plus tôt, aujourd'hui de préférence. Cependant, si le contrat de vente devait différer d'une quelconque façon des spécifications du fabricant ou des procédures décrites plus haut, je n'achèterais pas chez vous.

Carte d'identification d'acheteur à prix ferme ©

À _____

nom du vendeur

_____

nom du concessionnaire

Cette carte me désigne comme un acheteur à prix ferme. Vous trouverez au verso les procédures auxquelles je me conforme lorsque j'achète une voiture. Veuillez les lire.

_____

Nom

_____

N° de téléphone

Achat d'une automobile à prix ferme

1. Je vais faire l'achat d'une voiture. Il est possible ou non que je l'achète chez vous. J'ai essayé deux voitures chez deux concessionnaires différents et elles répondent toutes deux à mes exigences.

2. J'aimerais avoir un prix net, non négociable, pour la voiture (N° de série). Ce prix doit inclure le coût des plaques d'immatriculation (s'il y a lieu), ainsi que toutes les taxes applicables (assurances non comprises). ☐ Moins reprise de la voiture (N° de série). ☐ Reprise non applicable.

3. Le prix d'achat ferme que vous me proposerez est le seul que je vais considérer. Il devra être approuvé par le concessionnaire. Si j'achète la voiture chez vous, je donnerai un acompte et vous remettrai un chèque visé pour le solde à payer à la livraison de la voiture.

4. Je vais arrêter ma décision dans les 24 heures qui suivent, mais j'aimerais mieux acheter la voiture au plus tôt, aujourd'hui de préférence. Cependant, si le contrat de vente devait différer d'une quelconque façon des spécifications du fabricant ou des procédures décrites plus haut, je n'achèterais pas chez vous.

4.

L'ACHAT D'UNE MAISON
D'OCCASION

Acheter une maison peut être à la fois excitant et effrayant. Avec un seul paiement et l'apposition de votre signature au bas d'un titre, vous devenez propriétaire, mais, pour la plupart des gens, vous devenez aussi le débiteur d'une société hypothécaire.

Le montant d'argent **réel** que vous aurez à débourser est stupéfiant. Si vous devez, pendant 25 ans, rembourser mensuellement une hypothèque de 60 000$, le montant total à payer, pour un taux d'intérêt de 12%, sera de 185 760$, capital et intérêts compris. Si vous augmentez de 5 000$ le montant de votre versement comptant — ou achetez la même maison pour 5 000$ de moins — vous obtiendrez une hypothèque de 55 000$ et les paiements, échelonnés sur 25 ans, totaliseront la somme de 170 280$, ce qui représente **une épargne de 15 480$.**

Pour la plupart d'entre nous, il est beaucoup plus facile de payer moins que d'épargner plus que nous le faisons à l'heure actuelle. En utilisant la méthode du prix d'achat ferme, vous pouvez économiser plusieurs milliers de dollars, non seulement dans le prix à payer mais aussi grâce à l'intérêt que vous n'aurez pas à débourser sur le montant épargné. Le principe est toujours le même: rançonnez le vendeur en exploitant son désir de vendre. Cependant, contrairement à l'achat d'une voiture, vous ne présentez pas de carte d'identification et vous **devez** négocier — sans toutefois avoir à marchander. Ce chapitre va vous montrer comment établir vous-même un prix ferme et négocier le meilleur achat.

Il vous faudra, pour cela, connaître au préalable certains points précis. Tout ce qui suit est important. Si vous acceptez de consacrer le temps nécessaire à bien comprendre la méthode, vous pouvez sauver des années de paiements sur votre hypothèque.

Jusqu'en 1970, le prix de revente d'une maison pouvait être établi assez facilement. Sans l'inflation galopante et les rénovations majeures, le prix des maisons était relativement stable et l'augmentation significative de leur valeur venait avec le temps, non du jour au lendemain. Les années d'inflation de 1970 ont changé tout cela et beaucoup de gens ont vu la valeur de leur maison croître plus rapidement que leurs épargnes, leur fonds de pension et tout ce qu'ils possédaient. Ils se sont retrouvés riches sur papier mais pris dans un vrai dilemme: ils pouvaient avoir beaucoup d'argent en vendant leur maison mais devaient en débourser encore plus pour en racheter une nouvelle.

Le ballon n'a pas éclaté mais il s'en est fallu de peu, en 1982, lorsque le nombre de maisons revendues au Canada a chuté de 161 000 à 151 000. À l'heure actuelle le volume des ventes et des prix est de nouveau en hausse, à une allure relativement rapide.

C'est donc le bon moment pour acheter une propriété. En appliquant la méthode du prix ferme à l'achat de votre maison, vous devez, dans cette jungle très particulière, prendre conscience de trois choses importantes qui reposent sur un principe très simple: les difficultés viennent beaucoup plus des procédures que des gens eux-mêmes.

La première que vous allez rencontrer sera probablement due aux attentes exagérées. Si la personne à qui vous achetez a déboursé beaucoup d'argent pour acquérir sa maison durant les années 1970, où l'inflation était à son apogée, ses attentes reflèteront la réalité de ces années-là et elle va vouloir que son investissement lui rapporte un profit maximum. Si elle ne réagissait pas de cette façon, cela aurait tendance à lui prouver qu'elle n'a pas acheté au bon moment. Et c'est le genre d'erreur que personne n'aime se faire rappeler. D'un autre côté, si la personne s'est accrochée à sa propriété pendant l'inflation, elle voudra se prouver qu'elle a choisi le meilleur moment et que c'est plus profitable de vendre maintenant. D'une façon ou d'une autre, les propriétaires sont persuadés qu'ils vont faire beaucoup d'argent en vendant leur maison. Et ils y croient autant qu'en n'importe quelle clause de la Charte des droits de la personne.

La seconde difficulté risque de provenir des agents immobiliers qui gagnent, quant à eux, leur argent de deux façons: soit en vendant une maison, soit en faisant acheter une maison. Maintenant, imaginons le scénario suivant: vous voulez mettre votre maison en vente et trois agents entrent en lice pour vous trouver des acheteurs. Deux des agents évaluent votre maison sensiblement au même prix et le troisième vous assure qu'il peut la vendre 20 000$ de plus. Lequel va l'emporter? Le troisième, évidemment.

La troisième difficulté que vous allez rencontrer est la même que celle à laquelle vous êtes confronté lorsque vous achetez une voiture d'un particulier.

Ce genre de vendeur n'a habituellement qu'une maison à vendre et il y est très attaché émotivement. Elle fait presque partie de lui.

Vous devrez affronter l'une ou l'autre de ces trois réalités — ou les trois ensemble et vous y parviendrez avec l'aide de la méthode du prix d'achat ferme, dont voici l'abc. Prenez note des sections spéciales, à la fin de ce chapitre, qui traiteront, plus en détail, des condominiums, des coops, ainsi que des maisons de campagne ou de vacances.

A. PLANIFICATION

1. Trouver la meilleure hypothèque. Certaines personnes envisagent l'achat d'une maison avec seulement une idée très approximative de ce qu'ils sont capables d'investir dans une hypothèque et une notion encore plus vague des paiements mensuels que peut entraîner un tel emprunt hypothécaire. Des notions aussi floues n'aident pas à obtenir l'hypothèque la mieux adaptée à vos besoins. Seules une connaissance détaillée des hypothèques disponibles et l'assurance que vous allez obtenir celle dont vous avez besoin pourront vous protéger dans cette jungle. Mais cette connaissance nécessite un certain apprentissage.

— Comprendre ce que veut le créancier. On dit que, pour qu'une présentation de ventes soit réussie, le présentateur doit avoir anticipé chaque question qui pourrait lui être posée et trouvé déjà les bonnes réponses. Quand vous demandez une hypothèque, la même règle s'applique: vous devez savoir ce que demandera l'institution financière chez qui vous allez emprunter. Au départ elle voudra savoir deux choses: Pourrez-vous effectuer vos paiements sans difficulté et la propriété pourra-t-elle aisément être garantie?

Par *effectuer vos paiements sans difficultés*, le créancier veut dire que votre paiement mensuel total (capital, intérêts et taxes) ne devrait pas excéder 30% de votre revenu familial brut (le terme *revenu brut* signifiant le revenu total avant toute déduction). De plus, le créancier examinera votre endettement global et n'acceptera pas que vos paiements totaux (incluant votre nouvelle hypothèque) excèdent 40% du revenu familial brut, car vous ne devez pas oublier que les nombreuses autres petites dettes, comme assurances et autres services pour lesquels vous payez déjà, peuvent également venir diminuer vos capacités de paiement.

L'expression *propriété garantie* signifie, pour le créancier, que si vous ne pouviez plus effectuer vos paiements, il pourrait saisir votre maison et la vendre pour récupérer son argent. Ensuite seulement, il redonnerait, (à vous ou à d'autres créanciers éventuels) le montant restant. Le créancier prête habituellement jusqu'à 75% de l'**évaluation** de votre maison. Cette valeur est déterminée non par le prix payé mais par l'évaluateur immobilier désigné par le créancier. C'est en général une personne avec un titre officiel (CRA ou AACI)[*] et qui n'est pas un agent immobilier. Il va déterminer la **valeur marchande** de la maison pour laquelle vous désirez une hypothèque. Le coût de cette évaluation est votre responsabilité financière, comme tous les autres frais légaux nécessaires à l'enregistrement de votre hypothèque. Cependant, la plupart des institutions financières

---

[*] Évaluateur canadien pour propriété résidentielle /Membre de l'institut canadien des évaluateurs agréés.

vont permettre à votre notaire de s'occuper du travail légal; ce qui peut vous sauver souvent pas mal d'argent.

Si vous avez besoin d'une hypothèque qui dépasse 75% de la valeur de votre maison, vous devez vous adresser à la Société canadienne d'hypothèques et de logement. Une telle hypothèque est appelée à *pourcentage élevé*. Le concept en est simple: vous payez à la SCHL selon un certain ratio et c'est la SCHL qui garantit le remboursement au créancier.

— **Comprendre le jeu du créancier**. La plupart des créanciers offrent deux types d'hypothèques — à taux fixe ou à taux variable. Avec une hypothèque à taux fixe, le taux d'intérêt est fixe pendant une période de temps déterminée — habituellement entre six mois et dix ans. Vous faites un nombre X de paiements égaux pour toute la durée de l'hypothèque. Le délai expiré, vous renouvelez l'hypothèque (au taux actuel) ou vous remboursez le montant impayé. En remboursant avant terme le solde de votre hypothèque vous écopez d'une pénalité (habituellement fixée à une somme représentant trois mensualités). Si vous choisissez une hypothèque à taux variable, une période de temps spécifique est déterminée, les paiements sont habituellement fixés pour la première année, cependant le taux d'intérêt peut varier durant l'année, selon les fluctuations du marché.

Le risque à courir est simple: si vous êtes optimiste face aux taux d'intérêt et croyez qu'ils vont avoir une tendance à la baisse, vous opterez pour une hypothèque à court terme - il serait sage cependant de savoir d'avance quel sera le taux de renouvellement. Si vous êtes pessimiste et croyez que les taux d'intérêt vont grimper, vous choisirez la première option avec le terme le plus long possible, qui est, au plus, de dix ans. Vous serez, de cette façon, à l'abri des fluctuations des taux d'intérêt. L'hypothèque à taux variable n'éloigne ce risque que partiellement — puisque vos paiements sont ajustés annuellement. Bien entendu le taux d'intérêt peut baisser mais il peut aussi monter. S'il grimpe, comme il l'a déjà fait il y a quelques années attendez-vous à recevoir un choc. Non seulement vos paiements vont-ils monter l'année suivante, mais vous pourriez facilement devoir plus d'argent que vous en aviez originalement emprunté parce que vos paiements ne se seront pas maintenus au taux d'intérêt de votre hypothèque à taux variable.

Le risque, quelle que soit l'option choisie, n'a pas besoin d'être aussi élevé qu'il l'a déjà été. Après le célèbre été de 1981, durant lequel une hypothèque de 5 ans s'était négociée jusqu'à 20,54%, le gouvernement fédéral a réagi aux pressions des propriétaires en les protégeant contre les fluctuations importantes des taux d'intérêt. À l'heure actuelle, avec le Plan de protection des taux hypothécaires, vous pouvez vous assurer, moyennant un coût minime de 1 1/2%, pour que votre hypothèque n'augmente pas de plus de 2%.

— Comprendre le calcul de l'intérêt et le réajuster de façon à sauver des milliers de dollars. Le créancier vous présente un programme de paiements tellement normal, simple et clair que vous pourriez facilement croire que chaque chèque que vous émettez est également réparti entre le capital et les intérêts. Il n'en est cependant rien. Prenons, par exemple

91

une hypothèque de 60 000$ à un taux de 12%, amortie — payée — sur une période de 25 ans. À la fin de la première année, vous aurez effectué 12 paiements de 619,20$ pour un total de 7 430,40$, et vous n'aurez encore remboursé que 325$ du capital emprunté. Il va falloir 300 paiements de 619,20$ (25 années × 12 paiements de 619,20$) pour rembourser la dernière tranche du capital. Ayez bien en tête ce concept du prêt et de l'intérêt lorsque vous prendrez connaissance des trois possibilités qui s'offrent à vous — et qui peuvent réduire de manière spectaculaire le montant d'argent déboursé pour votre hypothèque.

— **Recherchez une hypothèque qui vous permet d'effectuer des paiements supplémentaires en tout temps.** Cela pourrait être soit un gros montant que vous remboursez à la fin de l'année, soit sous forme d'augmentation du nombre de paiements effectués dans une année. Prenons par exemple une hypothèque de 60 000$ à 12 3/4%, amortie sur 25 ans. En payant un 1 000$ de plus, tous les ans à la date anniversaire de l'hypothèque, vous rembourserez votre hypothèque en 15 1/2 ans plutôt qu'en

25 ans et **épargnerez 59 312$**. La flexibilité est la clé de l'épargne et, la concurrence devenant de plus en plus féroce dans le domaine hypothécaire, les créanciers sont plus enclins à offrir des facilités de paiements anticipés qui peuvent vous faire économiser beaucoup d'argent.

— **Choisissez le plan d'amortissement le plus court possible.** Sachant que vous payez surtout des intérêts pendant les premières années de l'hypothèque, il est logique de vouloir rembourser votre hypothèque le plus tôt possible. La plupart des hypothèques sont amorties sur 25 ans, mais il est facile de choisir une période plus courte. Vous n'avez qu'à le demander. Encore une fois, la différence est significative. À 12%, une hypothèque de 50 000$ remboursée en 15 ans requiert des paiements mensuels de 590,81$. Étalé sur 25 ans, ce montant tombe à 515,95$. Mais **le montant total que vous allez épargner en augmentant vos paiements d'hypothèque de 74,86$ par mois est de 48 439,20$.**

— **Recherchez des paiements hebdomadaires plutôt que mensuels**. Nous avons pris
pour acquis que la période d'amortissement
"normale" était de 25 ans; nous avons également pris pour acquis que les paiements devaient être mensuels. Certaines institutions ont
commencé à offrir des paiements hebdomadaires. Encore une fois, en vous rappelant que
l'hypothèque est comme le tic-tac d'une hor-
loge avec l'intérêt qui avance avec le temps,
vous voudrez vous débarrasser de l'intérêt au
plus tôt en effectuant des paiements plus rap-
prochés, qui vous permettront ainsi de réaliser
d'importantes économies. Avec une hypothèque de 11% amortie sur une période de 25 ans,
en effectuant des paiements hebdomadaires de
120,35$ au lieu de paiements mensuels de
481,30$, vous rembourserez votre hypothèque
en un peu plus de 18 ans au lieu de 25 et épargnerez 31 525$.

Il faut prendre en considération le fait que
pour un petit montant de plus (votre paiement
hebdomadaire représente 1/4 du paiement
mensuel et techniquement, il y a 4,3 semaines
dans un mois), vous pouvez épargner beau-

coup. Cette option de paiements a d'abord été instituée par les institutions coopératives (Caisses Populaires, d'entraide, etc.) et d'autres institutions leur ont emboîté le pas.

— Vous pouvez ne pas avoir besoin d'une nouvelle hypothèque. Il pourrait être intéressant de reprendre l'hypothèque de la maison, si son taux d'intérêt est en dessous du taux courant et s'il reste une période de temps intéressante. Supposez, par exemple que le propriétaire ait une hypothèque de cinq ans à 11% et qu'il lui reste trois ans à payer au moment où les taux courants sont à 13 1/2%. Vous pouvez avoir les moyens d'assumer cette hypothèque et épargner non seulement sur les intérêts, mais sur les frais légaux encourus lors de la demande d'une nouvelle hypothèque.

Cependant, si l'hypothèque n'est pas transférable, le vendeur pourra écoper de pénalités financières (généralement 3 mensualités) pour avoir remboursé son hypothèque plus tôt; dans ce cas, il majorera le prix de la maison pour compenser cette perte.

Une hypothèque déjà en cours peut aussi s'ajuster à votre propre cas, si vous n'avez pas assez d'argent comptant pour couvrir la différence entre le prix d'achat et le solde de l'hypothèque déjà existante (c'est-à-dire le capital restant à payer). Supposons que le prix d'achat de votre maison soit de 75 000$ et que le solde de l'hypothèque soit de 45 000$, ce qui donne une différence de 30 000$. Vous ne disposez que de 20 000$ en argent comptant; vous avez donc besoin de 10 000$, mais vous ne voulez pas demander une nouvelle hypothèque.

Consultez d'abord le créancier du vendeur et demandez-lui d'incorporer dans l'hypothèque déjà existante le montant désiré. Faites-en une condition de votre offre. Demandez simplement au créancier la somme que vous voulez ajouter à votre versement initial en transformant l'hypothèque déjà existante en une hypothèque de 55 000$. Puisque le créancier n'a pas à vous prêter plus que 75% de la valeur de la maison, il devrait accepter facilement.

Chacun peut y trouver son profit. Si les taux d'intérêt actuels sont plus élevés que celui de l'hypothèque en vigueur, le créancier appliquera le taux actuel au nouveau montant et fera par conséquent plus d'argent. L'ancien propriétaire n'aura pas à annuler son hypothèque et se soustraira ainsi aux pénalités financières. Quant à vous, même si votre hypothèque n'a pas un taux plus avantageux que les taux actuels, vous allez tout de même épargner sur les coûts légaux, puisque le créancier n'a pas à refaire une recherche légale complète du titre de propriété et pourrait seulement exiger que le titre soit certifié à nouveau pour la date de la nouvelle hypothèque. Ce qui signifie moins de travail pour votre notaire.

Bien sûr, dans certains cas il n'est pas avantageux de reprendre une hypothèque déjà existante. La durée du prêt, le taux d'intérêt, ou les deux combinés, peuvent ne pas vous convenir. Dans ce cas, ou votre revendeur rembourse lui-même son hypothèque, ou vous demandez une réduction sur prix de la maison, qui soit égale aux coûts supplémentaires encourus lors de l'endossement de cette hypothèque.

— Obtenez ce que vous voulez. Avant toute transaction vous seriez avisé de consulter un ouvrage traitant de l'amortissement des hypothèques[*]. Dans ce livre vous trouverez, énumérés, les paiements mensuels — capital et intérêts — à effectuer selon les différents taux d'intérêt et d'après les **amortissements** (ou durées). Examinez ensuite avec soin les hypothèques avant de regarder les maisons. Votre notaire peut être une bonne source de conseils particulièrement s'il s'occupe beaucoup de ventes immobilières. Mais pendant que vous faites ces démarches, **assurez-vous que votre demande d'hypothèque réponde bien aux options que vous aviez choisies, soit la bonne durée du prêt et la flexibilité quant à la possibilité d'un mode de paiement rapproché ou additionnel.**

— Commencez à faire vos demandes avant d'acheter. Après avoir choisi votre futur créancier, il est dans votre intérêt de réunir tous les

---

[*] Consulter, à ce sujet, "Tableaux des paiements mensuels sur prêts hypothécaires", Transaction, Montréal, 1983.

documents pouvant servir à votre demande d'hypothèque avant de faire une offre d'achat pour une maison. Sans obtenir du créancier l'approbation finale de votre hypothèque tant que l'offre d'achat n'est pas présentée, vous pouvez du moins avoir de sa part une acceptation verbale de principe. Quand vous apporterez l'offre d'achat, le processus d'approbation en sera accéléré d'autant. Il est important que vous agissiez rapidement — comme vous allez bientôt le constater.

2. Faites faire l'évaluation avant d'acheter. Lors d'un entretien avec le créancier, entendez-vous avec lui pour que la firme avec qui il fait habituellement affaire puisse évaluer les maisons qui vous intéressent avant même d'avoir fait l'offre. Une fois l'évaluation effectuée, demandez qu'on vous en fasse parvenir une copie, ainsi qu'au créancier. Cela vous coûtera environ 150$. Mais vous payeriez ce montant de toute façon si vous achetiez cette maison et demandiez une nouvelle hypothèque.

Puisque vous en défrayez les coûts, le créancier ne devrait y voir aucune objection. D'après mon expérience, certains créanciers accepteront, d'autres refuseront. Si votre créancier refuse, allez ailleurs. Si suffisamment de personnes l'exigent, les créanciers finiront par accepter cette procédure.

En demandant une évaluation avant achat, vous bénéficiez d'une information très importante — la **valeur minimale** de la maison que vous voulez acheter. Quoiqu'elle soit appelée évaluation de la **valeur marchande**, elle est en fait destinée à définir la garantie du prêteur et pour cela représente la valeur minimale de la maison. Plus loin, en faisant l'offre d'achat, nous verrons comment tirer le meilleur profit de cette information.

3. Prenez connaissance des honoraires légaux ainsi que du total des coûts. Organisez une rencontre avec votre notaire pour connaître d'avance ses tarifs professionnels et le total des coûts auxquels vous pouvez vous attendre par rapport au registre de prix que vous avez choisi. Un notaire expérimenté en affaires immobilières devrait pouvoir vous donner le montant approximatif des taxes exigées lors d'un transfert de propriétés (taxe de bienvenue ou droit de mutation), des coûts d'enregistrement de l'hypothèque et tous autres frais en vigueur dans votre province. En permettant de faire une mise au point (taxes et services publics payés d'avance ou en arriérés), vous aurez une bonne idée de la somme d'argent comptant que vous pourrez donner pour votre nouvelle maison.

S'il est un domaine où il ne faut pas chercher absolument le meilleur prix possible, c'est bien lorsque vient le temps de trouver un bon notaire. En effet un notaire vraiment engagé envers vous et impliqué dans l'achat de votre maison, vous donnera plus que des conseils légaux. Il représente la voix de l'expérience et du bon sens, qualités fort appréciées au moment d'assumer une responsabilité financière aussi importante.

Il peut aussi, comme nous l'avons mentionné précédemment, vous donner toute l'information nécessaire sur les hypothèques. Dans le cas d'une transaction avec un particulier — sans l'intermédiaire d'un agent immobilier qui règle tout, en ne vous demandant que votre signature au bas des documents — il est important de savoir quels papiers vous aurez besoin. Indépendamment des modalités de l'achat, tenez compte de l'avis de votre notaire qui vous dira quels documents vous ne devriez pas signer avant de les lui avoir soumis.

4. Préparez-vous à vivre cette aventure. Acheter une maison ne présente pas en soi de grandes difficultés. Des milliers de personnes le font sans problème chaque jour. Cependant, acheter une maison au meilleur prix possible est un peu plus difficile. La première règle à observer — règle que les promoteurs et constructeurs connaissent bien — est la suivante: **ne tombez pas amoureux d'une propriété.** Bien sûr, en cas de chute, c'est plus facile pour eux — ils vont seulement vivre **avec** leur décision. Vous allez vivre **dans** la vôtre... Pour atteindre votre but, il est important de vous conformer à cette règle. Vous aurez tout le temps voulu, après l'avoir achetée, de l'aimer à votre guise.

5. Choisissez un agent d'après sa compétence et son sens des responsabilités. Pour diverses raisons, les gens adorent recommander "leur" agent immobilier. Peut-être pensent-ils, de cette façon, partager une partie d'eux-mêmes, puisque cela ne leur coûte rien et leur permet de justifier leur propre choix. Mais ce qui est le plus important pour vous, quel que soit l'agent immobilier choisi, c'est qu'il doit savoir exactement ce que vous voulez, bien connaître la région qui vous intéresse, s'engager à trouver des maisons et prendre les dispositions pour que vous puissiez les visiter.

Vous recherchez une relation professionnelle, pas un ami. **C'est toujours une erreur de considérer son agent immobilier comme un ami.** Cette règle est toujours vraie, même si votre agent est effectivement un ami ou un parent. L'agent qui n'a pas de relations d'affaires avec vous pourra faire plus d'argent en vendant au plus haut prix possible. En laissant cet "ami" vous aider, vous pourriez vous retrouver dans la même situation que celle de notre acheteur de voitures aux prises avec son ami vendeur. Si c'est votre agent et vous, "contre" le propriétaire revendeur, vous pourrez facilement acheter la maison, mais rarement au plus bas prix.

Même si votre agent doit connaître le créneau de prix dans lequel vous accepterez de faire affaire, **il ne doit en aucun cas savoir le montant d'argent comptant que vous pensez fournir pour cette transaction.**

Il ne faut pas oublier non plus que la solution du prix ferme s'applique également aux ventes privées qui n'impliquent pas d'agents immobiliers.

6. Assurez-vous d'obtenir ce que vous voulez. La première épreuve qui va vous permettre de savoir si vous pouvez respecter la règle de "ne pas tomber amoureux d'une propriété" survient avant même que vous commenciez les recherches de la maison de vos rêves. Elle survient en fait lorsque vous vous apercevez que vous ne pouvez acheter froidement qu'en employant un procédé de sélection rationnel.

La première chose que je vous recommande de faire est de concevoir un formulaire. Sur le haut d'une feuille de papier de format légal, tracez deux lignes et inscrivez sous chacune d'elles: "ADRESSE" et "PRIX". Divisez le reste de la page en deux colonnes par une ligne verticale. Faites, à gauche, une liste des éléments qui, pour vous, ont de l'importance; à droite, laissez suffisamment d'espace pour écrire vos commentaires quand vous visiterez des maisons. Par exemple, le premier point sera probablement la situation géographique de la maison. Pour chaque maison visitée, prenez note de la proximité de votre lieu de travail, des écoles, des magasins, etc. Ensuite, du côté gauche, notez tous les éléments importants pour chaque pièce de la maison en passant par les chambres, le sous-sol et même les garde-robes.

Il est facile, trop facile d'être "sur-" ou "sous-impressionné" lors de la première visite d'une maison. En émettant, par écrit, un jugement sur chacun des éléments qui vous ont paru importants, vous ne vous en remettez plus qu'à votre seule mémoire. N'écrivez pas la dimension réelle des chambres ni la distance exacte qui vous sépare de l'école ou du magasin; notez simplement les avantages ou les désavantages; par exemple, "cuisine: belle lumière et large espace de travail" ou "chambre principale: grande, mais cabinet de toilette:

petit". Assurez-vous de laisser un espace pour les "impressions générales" et une section "important" pour les éléments qui vous tiennent à cœur.

C'est un fait que personne n'a une assez bonne mémoire pour retenir tout ce dont il faut se rappeler. Si vous visitez dix maisons en dix jours, les images que vous vous êtes faites de chacune d'entre elles vont rapidement s'estomper. Utilisez votre formulaire pour faire autant de copies que le nombre de maisons à visiter.

B. SÉLECTION

Après avoir glané toute l'information nécessaire concernant les hypothèques, rencontré votre notaire, choisi un agent immobilier et conçu votre propre formulaire d'évaluation, vous êtes enfin prêt à entamer la phase de sélection. Les deux points suivants sont d'une importance capitale:

1. Comprendre la contrainte temps/sélection. Le facteur qui est le plus important lors de l'achat de votre nouvelle maison, à meilleur marché, est la **pression**. Et cette contrainte provient du facteur temps.

Comme certains acheteurs, vous pouvez faire face à une pression négative engendrée par le temps — l'obligation d'avoir à prendre votre décision rapidement. Vous avez peut-être déjà vendu votre maison, ou devez déménager dans une autre ville pour commencer votre nouveau travail à une date précise, ou vous avez un bail qui expire bientôt.

Des pressions similaires ressenties par votre revendeur sont, de votre point de vue, positives et peuvent jouer à votre avantage. Il a peut-être déjà effectué l'achat — conditionnel à la vente de la sienne — d'une nouvelle maison, il supporte peut-être le poids financier de deux maisons en même temps, vit dans les vestiges d'un divorce, ou encore il est impatient de prendre sa retraite et de déménager en Floride.

La présence simultanée de ces deux contraintes, la vôtre et celle du revendeur, aura une influence décisive sur le prix que vous payerez pour votre nouvelle maison. En règle générale, **plus vous aurez de temps et moins votre revendeur en aura, meilleures seront vos chances d'avoir un prix intéressant.** La meilleure situation étant celle où le revendeur a fait une offre conditionnelle ailleurs pendant que vous, vous aviez tout votre temps; mais c'est rarement le cas. Quelle que soit la situation cependant, il y aura un rapport entre la pression que vous subissez et celle subit par le revendeur. Quand vous regardez une maison qui vous intéresse, **comparez les pressions.** Passez par l'entremise de votre agent et parlez vous-même au revendeur pour découvrir exactement quel genre de pression il subit.

La prochaine étape consistera à ajuster votre comportement en fonction de **la pression que vous subissez.** Ce qui veut dire que plus vous serez pressé par le temps et plus le nombre de maisons que vous devrez visiter sera grand. Un couple de mes amis, qui n'avait que trois semaines pour acheter une maison, a pourtant fait un très bon achat. **Mais ces personnes ont visité 85 maisons pendant ce laps de temps.** Je connais un autre couple pour qui l'achat a pris une année. Ils n'ont visité que 19 maisons, mais ils ont également acheté à un excellent prix. Dans les deux cas, les acheteurs ont agi de façon rationnelle, compte tenu des contraintes de temps qu'ils avaient à subir. Ils ont commencé avec une bonne idée de ce qu'ils voulaient et de ce qu'ils avaient les moyens de débourser, puis ils ont examiné les variables du marché: la disponibilité et le coût.

Visitez au moins une douzaine de maisons, même si vous n'avez pas de contrainte immédiate pour acheter. C'est l'unique moyen de contrôler les variables du marché. Et le point suivant ne vous facilitera pas la tâche.

2. Ne visitez pas de maison qui ne soit pas en vente depuis au moins trois semaines. Il y a sûrement quelques "aubaines" réservées aux acheteurs des maisons fraîchement mises en vente, mais trop peu pour être considérées par les acheteurs à prix ferme. Les acheteurs pressés attendant à la porte d'une maison nouvellement mise en vente confirmeront le revendeur dans ses attentes les plus optimistes d'espérer faire un gros profit.

Mettez-vous à la place du revendeur. Supposons que sa maison ait été mise en vente seulement depuis quelques jours. Un acheteur se montre intéressé et, après une inspection à la sauvette, lui fait une offre qui est substantiellement inférieure à celle qu'il attendait. Sa réponse instinctive **ne sera pas** que la maison a été surévaluée, mais que l'acheteur ne lui offre pas assez — un point, c'est tout! Il n'est pas encore conditionné au rejet du marché. Il croit plutôt qu'un autre acheteur va se présenter pour lui donner le prix qu'il demande.

Chaque vendeur oscille continuellement entre ces deux états: l'espoir ou la déception. Après trois semaines, l'espoir aura été suffisamment érodé, les déceptions expérimentées, vous devriez donc avoir de bonnes chances d'acheter à meilleur prix.

Mais toutes les meilleures maisons ne seront-elles pas vendues, vous demandez-vous? Sans aucun doute, certaines le seront. Mais pas en nombre suffisant pour vous empêcher de trouver ce que vous cherchez. Prenons l'exemple du Toronto métropolitain, reconnu comme étant un marché immobilier très actif au Canada. Dans les mois de novembre et décembre 1983, alors qu'une hypothèque d'un an à taux fixe atteignait 10 1/2%, voici comment le rapport vente/temps s'est détérioré. En novembre, 64% des ventes du "Multiple Listing Service" avaient été enregistrées **après** une première parution. En décembre, 57% avaient été vendues **après** trois semaines. Si nous retournons au "boum inflationniste" du mois de janvier 1981 lorsqu'une hypothèque d'un an atteignait 15 1/4% et alors que les gens savaient que les plus hauts taux d'intérêt étaient à venir, même à cette époque, 46% des ventes du MLS se sont produites **après** les trois premières semaines.

Le rapport vente/temps varie, bien sûr, d'une clientèle à l'autre et d'un mois à l'autre. Mais il a de très bonnes chances pour que de 50 à 70% des maisons qui vous intéressent se vendent après trois semaines seulement. Vous avez donc du temps devant vous.

Je peux vous affirmer, par expérience personnelle, que le temps durant lequel une maison a été mise en vente est crucial. Lorsque j'ai acheté une maison qui était en vente depuis plus de trois semaines, je l'ai eue à un très bon prix. Lorsque j'en ai acheté une qui était en vente depuis une semaine seulement, j'ai payé moins que le prix demandé mais plus que j'aurais voulu payer. Dans ce dernier cas, les revendeurs et moi avons reconnu ensemble la contrainte de temps que nous subissions. Ils ne voulaient pas risquer de perdre ce qu'ils considéraient comme une bonne offre et je ne voulais pas perdre une maison qui m'intéressait. Ils sont donc allés à leur prix limite.

Bien entendu, si vous ne pouvez trouver de maison qui vous intéresse dans ces limites trop astreignantes, reculez d'un cran — un cran seulement — pour trouver des maisons en vente depuis au moins deux semaines.

C. ACHETER

De l'étape de la sélection, vous êtes maintenant prêt à passer à celle de l'achat. Lisez attentivement ce qui suit car vous êtes sur le point de dépenser une grosse somme d'argent.

112

1. Visitez la première fois avec soin et la deuxième fois en posant des questions. Quand vous visitez une maison pour la première fois, soyez aussi courtois que possible. S'il fait mauvais temps, enlevez vos couvre-chaussures, bottes ou chaussures. Posez autant de questions que vous en avez envie mais ne vous en faites pas si vous n'apprenez rien de substantiel. Complétez le formulaire, comme vous le faite maintenant pour chaque maison que vous visitez, et faites votre propre évaluation générale. Si, après cela, vous êtes toujours intéressé à la maison, demandez à votre agent de téléphoner à l'agent du revendeur et de vous donner la raison de la mise en vente. Vous voulez précisément savoir quelles contraintes poussent le revendeur à se départir de sa propriété. (Si c'est une vente privée, recueillez autant d'informations que vous le pouvez en parlant au propriétaire.) Quand vous êtes sûr de connaître la "marge de pression", faites une liste détaillées des questions que vous voulez poser. Englobez tout: isolation, coûts des services publics, rénovations, taxes, coûts d'entretien, améliorations, etc.

Demandez ensuite à votre agent de vous organiser une visite lorsque les revendeurs sont à la maison. (Ce n'est pas essentiel lors de la première visite mais très important, dans la mesure du possible, pour la seconde). Emmenez toutes les personnes qui vont vivre avec vous dans cette maison. Présentez chacune d'elles aux revendeurs. Posez vos questions de façon formelle, prenez des notes, demandez des informations sur les services publics, sur les autres services disponibles et faites le tour une seconde fois avec les propriétaires.

Pendant votre visite, posez des questions importantes et complémentaires, comme: "Pouvez-vous me dire pourquoi le plafond est si haut dans la salle de jeu au sous-sol?", "Avez-vous aménagé votre jardin vous-même?", "Déménagez-vous loin d'ici?", "Le living-room semble être une pièce idéale pour recevoir des groupes — recevez-vous souvent?" Les réponses à ce second ensemble de questions ne sont pas importantes. Votre but est de montrer votre reconnaissance aux revendeurs de la maison. Laissez-les parler pendant que vous écoutez. Vous êtes en train de construire des liens, quoique de courte durée, et il est dans votre intérêt de leur faire des compliments. Ayez présent à l'esprit que **leur maison est une partie d'eux-mêmes**. En partant, dites-leur qu'ils ont un intérieur très chaleureux/ joli/ charmant/ fascinant/ intéressant (choisissez un ou deux de ces adjectifs; n'en mettez pas trop). Ajoutez que vous allez leur donner des nouvelles très bientôt.

Si les réponses au premier ensemble de questions vous satisfont et que vous aimez encore plus la maison après cette visite, vous allez probablement croire que vous la connaissez bien. En fait, non. Pas encore. Mais vous en connaîtrez sûrement davantage sur l'engagement et le désir des revendeurs de déménager. Grâce à votre seconde série de questions, vous êtes en mesure de mieux saisir les pressions qui s'exercent sur eux et aussi la façon dont ils vont utiliser les gains provenant de la vente. Si, par exemple, les gains servent à alimenter un fonds de pension, ils seront peut-être prêts à financer votre hypothèque à un taux inférieur.

Si vous sentez qu'une quelconque pression

s'exerce actuellement sur les revendeurs, passez à l'étape suivante, étape que certains acheteurs sautent à leur détriment.

2. Glanez autant d'informations que vous le pouvez. Voici la règle d'or à ne pas oublier lors de l'achat d'une maison: **avant d'acheter, vous n'aurez jamais assez d'informations; après l'achat vous en aurez toujours trop.** Après avoir acheté votre nouvelle maison, peu importe où elle se trouve et qu'elle qu'en soit la condition, vous découvrirez des choses que vous ne saviez pas, des choses qui vont vous coûter du temps et probablement de l'argent. Il y a tout simplement trop de détails à vérifier pour que vous puissiez prévoir les éventuels problèmes avant d'acheter. Mais il y a trois étapes que vous pouvez suivre pour approcher de ce but:

— **Analysez le marché.** La première chose à faire après avoir arrêté votre choix sur une maison est de trouver deux maisons similaires, dans la même rue, ou au moins dans le quartier, qui ont été vendues récemment. Votre agent immobilier pourrait facilement vous aider dans cette recherche. Ou mieux encore, comparez les prix de vente de deux maisons que vous avez visitées et qui ont été vendues à quelqu'un d'autre. Mais, à moins que vous ne regardiez sur une longue période, cette alternative est difficilement réalisable.

— **Cherchez les titres.** Cherchez les titres de ces propriétés et de la maison qui vous intéresse. "Chercher le titre? Je ne suis pas notaire!", gémirez-vous. Bon, ne criez pas tout de suite. Ce que je vous conseille de faire est facile et ne coûte pas cher. **Un titre** ou **un enregistrement d'acte de cession** représente en fait l'histoire de la maison. Cette histoire vous dit à qui a appartenu la maison, spécifie **combien elle a été payée** chaque fois qu'elle a été achetée et énumère les hypothèques ou autres créances possibles sur la propriété. C'est une mine d'informations utiles qui sont à la disposition de tout citoyen qui le désire. Et, de plus, cela ne vous coûtera que quelques dollars par recherche.

Les registres de propriété sont sous la responsabilité du gouvernement provincial, mais on les trouve généralement dans le même édifice que le bureau des taxes municipales. Je vous conseille de téléphoner d'abord au bureau des taxes municipales et de demander de quelle façon vous pouvez vérifier les taxes en cours pour la maison qui vous intéresse. Comparez ce montant avec celui qu'on vous a donné. Ensuite, demandez où se trouve le bureau d'enregistrement. Faites-y une petite visite; vous trouverez l'adresse de la propriété ce qui vous permettra d'établir le lot et le numéro de projet et finira par la **recherche.**

L'aboutissement de votre recherche débouchera sur l'obtention de tous les numéros de documents se rapportant à la propriété en question. Certains d'entre eux vous sembleront n'être que du charabia légal, mais si vous les passez au peigne fin, vous découvrirez qu'ils contiennent une mine d'informations sur la maison qui vous intéresse. Notez bien que je **ne** vous recommande **pas** de faire vous-même la recherche que doit faire votre notaire lors de l'achat. Cette recherche a une portée légale et doit être faite de toute façon.

En de rares occasions, le prix de vente n'est pas indiqué dans ces documents, même si la vente a effectivement été conclue. Mais l'acheteur ayant à franchir une série d'obstacles légaux pour garder cette information confidentielle, les chances sont donc assez bonnes pour que vous puissiez trouver tous les prix de vente des propriétés que vous cherchez. Si vous ne les trouvez pas, demandez à votre notaire quel autre moyen il pourrait avoir pour découvrir cette information.

Si vous n'avez pas le temps de faire vous-même la recherche des titres, vous pouvez demander à votre agent immobilier ou à votre notaire de le faire pour vous. Mais même si votre agent vous propose d'effectuer ce travail pour vous, je vous recommande de le confier plutôt à votre notaire, bien que cela occasionnera, probablement, un coût supplémentaire. Comme vous allez bientôt le voir, il n'est pas toujours recommandé que votre agent sache ce que, vous, vous devez connaître.

Vous en savez maintenant beaucoup plus. Premièrement, les prix de vente des deux maisons voisines vous indiqueront si le prix demandé pour la maison qui vous intéresse est réaliste ou non. Il s'agit pour vous de dégager une impression globale. Deuxièmement, vous connaissez l'histoire de la maison. Vous pouvez avoir appris que le propriétaire actuel l'a achetée il y a un an et la revend aujourd'hui avec un profit de 30%. Cela peut être raisonnable s'il a ajouté le même montant en rénovations ou s'il l'a achetée vraiment en dessous des prix du marché.

Qu'arrive-t-il si la maison a eu quatre propriétaires en huit ans et que chacun a payé 10% de plus que le propriétaire précédent? Il y a de bonnes chances pour que le prix en soit trop élevé. La maison a peut-être été hypothéquée au maximum lors des première et deuxième hypothèques sans que cela n'ait été reflété dans le prix de vente — le revendeur a peut-être besoin d'argent rapidement? À la fin de votre recherche, vous pouvez vous retrouver avec plus de questions encore. Mais ne vous en faites pas. Vous n'avez pas fini de poser des questions... et d'obtenir des réponses.

— **Maintenant, faites l'évaluation.** Si après la recherche des titres vous êtes toujours intéressé à la maison, c'est le moment d'en faire l'évaluation. Demandez à votre agent d'organiser une nouvelle visite avec deux personnes de plus. L'une d'elles devra être l'évaluateur, désigné par le prêteur (voir la section précédente, "Planification") ou engagé par vous. L'autre sera le représentant d'une entreprise d'inspection de maison (voir plus loin). Que vous repreniez une hypothèque existante ou que vous achetiez sans hypothèque, faites faire une évaluation. Comme il a été fait mention, le risque est minime (environ 150$) mais les bénéfices peuvent être énormes. Voilà comment vous établissez la **valeur minimale** d'une maison.

Vous auriez probablement une évaluation plus précise en passant par un prêteur; faites-le si vous avez le choix. Assurez-vous que l'évaluation lui est adressée, pas à vous, mais qu'on vous fasse parvenir deux copies à tous deux.

Vous pouvez aussi obtenir de votre institution financière le nom d'une firme d'évaluateurs agrées. Comme l'institution prêteuse n'est pas impliquée dans cette demande, exigez que l'évaluation ne spécifie pas de nom particulier, mais seulement l'adresse de la propriété. Donnez votre numéro de téléphone à l'évaluateur et demandez que deux copies de l'évaluation vous soient envoyées directement. Soulignez que vous voulez une **évaluation marchande** qui vous donnera la valeur **minimale** de la maison.

Quelle que soit la façon dont l'évaluation est faite, demandez qu'elle le soit le plus tôt possible, idéalement le lendemain. Dans les deux cas, exigez deux copies de l'évaluation et que votre nom n'apparaisse nulle part sur le document d'évaluation.

— **Organisez l'inspection de la maison.** Si vous habitez dans une région urbaine, consultez, dans le bottin téléphonique, les firmes apparaissant sous la rubrique "services d'inspection de maison" ou "services d'inspection en bâtiment". Demandez à ces compagnies si leurs inspecteurs sont des ingénieurs qualifiés et si l'entreprise souscrit à une assurance-responsabilité pour toute erreur ou omission.

N'entreprenez aucune démarche avec une entreprise qui n'en a pas. Si ce genre d'entreprise n'existe pas dans votre région, n'hésitez pas à faire appel à une venant de l'extérieur ou adressez-vous à une firme locale d'ingénieurs-consultants en leur demandant de vous fournir un rapport détaillé.

Quelle que soit la firme d'inspection choisie, celle-ci devra exposer en détail l'actif et le passif de la maison dans les domaines suivants: la structure, l'électricité, la plomberie, l'isolation, la toiture et le chauffage. Pour chacune de ces catégories le rapport devra indiquer les réparations nécessaires et le moment où elles devront être effectuées. Assurez-vous d'avoir bien inclus cette clause. Exigez que votre nom apparaisse sur la lettre explicative mais **non** sur le rapport lui-même. Demandez deux copies de tous les documents.

L'évaluation et l'inspection de la maison apparaissent souvent dans les clauses du contrat de vente, mais après que le prix d'achat ait été accepté. Dans la solution du prix d'achat ferme, elles font partie de la démarche d'établissement du prix de la maison. Pour que la solution fonctionne vous devez faire l'investissement avant de conclure l'affaire.

Cet investissement en vaut-il la peine? Je réponds "oui", sans hésitation, si votre revendeur est pressé de vendre, si vous apprenez combien vous allez **réellement** payer — capital et intérêts — pendant toute la durée de l'hypothèque ou si vous voulez acheter au plus bas prix possible.

3. Utilisez l'information obtenue pour déterminer votre prix d'achat ferme. La plupart des gens font une offre d'achat sur une maison avec aussi peu d'espoir que celui de gagner à la loterie. Vous êtes maintenant une exception. Si vous avez suivi la procédure décrite dans ce chapitre, vous avez obtenu des informations importantes qui peuvent être classées en trois catégories. Par ordre d'importance, ce sont:

— **La pression sur le revendeur.** La maison pour laquelle vous allez présenter une offre appartient à un individu qui a expérimenté le rejet du marché, ne serait-ce que parce qu'elle a été mise en vente pendant plus de trois semaines. Ce qui va inciter le revendeur à vendre au plus tôt. Tous ces facteurs ont leur importance.

— **La valeur de la maison.** Vous avez visité plusieurs maisons et noté les prix que demandaient les revendeurs. Vous avez cherché les titres des propriétés similaires et vous savez à quel prix elles ont été vendues. Vous connaissez le prix demandé, l'historique de vente et la valeur minimale actuelle — l'évaluation — de la maison qui vous intéresse. Avec le rapport d'inspection, vous avez pris connaissance de la condition exacte de la maison. Vous avez donc une idée claire de sa valeur réelle.

— **Votre financement.** Vous avez trouvé une hypothèque qui vous convient et correspond à vos moyens — vous allez pouvoir rembourser aisément les intérêts! Vous avez été personnellement approuvé. S'il y a déjà une hypothèque sur la maison, vous savez si c'est votre intérêt de la garder — ou de la faire augmenter. Même si vous devez vendre votre maison actuelle, vous savez ce qui vous attend si une nouvelle hypothèque est requise.

Vous êtes maintenant prêt à fixer le prix d'achat ferme — **le prix maximum que vous allez payer pour cette maison.** Ce prix sera proportionnel à la pression exercée sur le revendeur: plus ce dernier subira de pression, plus vous pourrez réduire votre prix d'achat ferme. Il sera, de plus, influencé par la valeur relative des maisons similaires que vous avez regardées et, bien sûr, par les paiements d'hypothèque que vous devrez effectuer. Ce prix va certainement être plus bas que le prix demandé. Il peut aussi être plus ou moins élevé que la valeur de l'évaluation. Ce que vous avez appris va vous permettre de juger si la valeur de l'évaluation est trop élevée, peu élevée ou juste par rapport aux prix du marché et à la condition de la maison. Fixez votre prix d'achat ferme et procédez à l'offre, en tenant compte de ceci: quelle que soit votre offre d'achat, vous, ou votre agent devrez la **vendre** au revendeur.

4. Faire une offre d'achat avec fermeté et intelligence. Chaque offre d'achat se fait dans des conditions et des circonstances particulières. Vous trouverez ici deux stratégies d'utilisation de la méthode du prix d'achat ferme.

Quelle que soit celle que vous choisirez, agissez avec bon sens et discernement, en songeant à vos propres contraintes — les pressions que vous subissez, en particulier.

Pendant que vous utilisez ces stratégies, gardez toujours présent à l'esprit que vous négociez à l'intérieur d'une séquence logique de procédure d'achat. Contrôlez vos émotions et bannissez toute envie de "victoire" sur le revendeur. Ne faites pas de cas des histoires que votre agent va vous raconter, telles que "le revendeur est furieux à cause de votre offre" ou "un autre acheteur a fait une offre en même temps que vous". Rappelez-vous que c'est le travail de l'agent de "rapprocher les acheteurs et les vendeurs" et cela signifie vendre des **deux** côtés. Ne croyez que ce que vous lisez lorsqu'on refuse votre offre.

— **L'offre du presque tout ou rien.** Utilisez cette stratégie seulement lorsque deux situations types se présentent. La première, lorsque vous croyez que l'évaluation ou la valeur minimale est de beaucoup inférieure à la valeur réelle de la maison et que vous croyez que la

maison aurait vraiment une valeur exception-
nelle à ce prix. Par exemple, le prix de vente de
la maison a été fixé à 88 000$ et vous savez que
les maisons de cette valeur se vendent entre
85 000$ et 90 000$, quoique l'évaluation soit à
79 000$. Le rapport d'inspection de la maison
vous informe que vous devrez faire des réparations majeures d'ici trois ans — réparations qui
vous coûteront environ 2 000$, montant auquel
vous devrez rajouter 200$ pour des répara-
tions mineures. D'après vos renseignements, le
revendeur est pressé de conclure l'opération,
mais non désespéré. Vous fixez votre prix
d'achat ferme — le maximum que vous allez
payer — à 81 000$.

Cette stratégie ne va fonctionner que si le
deuxième type de situation se retrouve en même temps. C'est-à-dire lorsque votre relation
avec le revendeur est à l'une des deux extré-
mités suivantes: D'un côté, vous faites affaire
avec une partie éloignée — une compagnie qui
vend la maison d'un employé qui a été trans-
féré, un exécuteur testamentaire, un propriétaire déjà déménagé et que vous n'avez jamais
vu, et ainsi de suite. À l'autre extrême, vous

faites affaire avec des revendeurs avec qui vous vous entendez vraiment bien, des gens qui aimeraient sincèrement que vous achetiez leur maison. Quand vous vous êtes laissés, après la seconde visite, vous en étiez déjà, ou étiez sur le point, de vous tutoyer.

Si une seule de ces conditions s'applique, allez directement au paragraphe suivant, "L'offre du plus bas prix acceptable", car vous avez vraiment besoin de ces deux conditions pour pouvoir procéder comme suit:

- Vérifiez que vos papiers d'hypothèque, y compris l'évaluation, sont prêts et que l'institution financière n'attend plus que l'accord d'achat signé pour confirmer votre hypothèque.

- Offrez 79 000$, l'estimation de la valeur, moins les 2 000$ de réparations majeures pour les trois premières années, c'est-à-dire la somme de 77 000$ (ne retranchez pas les réparations mineures si vous ne voulez pas avoir l'air de couper les cheveux en quatre). Ne mettez pas l'hypothèque conditionnelle sur votre offre. Ne parlez que de comptant — à moins de vendre votre autre maison. Donnez un dépôt important avec votre offre — 3 000$ à 5 000$ si possible — en y joignant l'évaluation et le rapport d'inspection. Écrivez à la main sur l'offre "**Prix basé sur l'évaluation, moins les besoins en réparations majeures des trois premières années. Réparations mineures non déduites. Voir les documents ci-joints.**"

Vous faites ici deux choses que la plupart des acheteurs ne font jamais. Vous partagez presque tous vos renseignements et, en n'ayant pas de condition hypothécaire et en faisant un dépôt considérable, vous démontrez que vous êtes une personne sérieuse et sincère, contrairement à certains acheteurs. Vous êtes un poisson que le revendeur aimerait bien pêcher!

● Votre agent immobilier doit être convaincu que vous faites une offre substantielle. Faites ressortir le fait que votre prix est basé sur des données que vous partagez avec le revendeur. Soulignez-lui que vous voulez la propriété mais pas à un prix plus élevé que sa valeur réelle, puisque vous avez payé pour établir cette dernière. Ajoutez que vous êtes capable de faire cette offre sans condition hypothécaire, uniquement parce que vous **savez** que vous pouvez en avoir une, qui représente 75% de l'estimation. Toute offre plus élevée exigerait une condition hypothécaire et une assurance de la Société Canadienne d'Hypothèques et de Logement ou une autre assurance hypothécaire. **Votre agent immobilier doit ignorer quel montant vous pouvez laisser en argent comptant ainsi que votre prix ferme.** Vous ne fermez pas la porte à une contre-offre; vous la laissez entrouverte seulement. Demandez à votre agent de vendre votre proposition.

● Mettez-vous à la place du revendeur. S'il est vraiment intéressé à ce que vous achetiez sa maison et qu'il a attendu quatre semaines pour recevoir enfin une offre acceptable, il ne va pas rejeter le blâme sur vous, mais sur l'agent qui l'a convaincu de demander un tel prix de vente. Quand il considère la valeur de la propriété telle qu'elle est déterminée par l'évaluateur de la compagnie de prêt, il voit que l'évaluation ne vous est pas adressée mais qu'elle l'est au créancier. Même sur le rapport d'inspection de la maison, votre nom ne figure pas. Vous êtes toujours la même gentille personne qui voulait acheter la maison il y a quelques jours, mais vous êtes pris entre les faits exposés dans le rapport d'évaluation et le rapport d'inspection. Il faut que le revendeur croit que vous êtes aussi coincé que lui.

Dans le cas où votre revendeur est une partie éloignée, la documentation que vous lui fournissez démontre plus que de la sincérité. C'est une justification détaillée de votre intention de payer un prix moindre que celui demandé initialement.

• Même si vous acceptez de reprendre l'hypothèque déjà en cours, l'offre du presque tout ou rien peut encore servir. Évidemment, vous allez avoir besoin d'une approbation pour assumer — ou augmenter — cette dernière et en faire une condition, mais vous pouvez quand même utiliser les autres tactiques comme elles ont été exposées. Dans ce cas, il est absolument essentiel que votre agent ne sache pas le montant maximum que vous **pourriez** donner en argent comptant, puisqu'une fois que le revendeur a accepté l'idée que vous repreniez son hypothèque, tout l'argent supplémentaire à débourser devra probablement venir de vous.

- Quel que soit le revendeur, attendez-vous à ce que votre offre vous revienne avec une contre-offre nettement plus élevée. Et soyez prêt à ne rien accepter au-dessus de votre prix ferme et à y arriver seulement après une série d'offres et de contre-offres relativement serrées. Rapprochez-vous très lentement de votre prix ferme et vous allez très probablement payer moins.

133

— L'offre du plus bas prix acceptable. Si les circonstances font que vous ne pouvez utiliser l'offre du presque tout ou rien, négociez en partant d'une position en dessous — jamais au-dessus — de votre prix ferme. Ne communiquez pas les informations que vous avez à propos de l'évaluation et de l'inspection de la maison, du moins au début.

- Offrez beaucoup moins que votre prix ferme. Si le prix demandé est de 95 000$, la valeur minimale (estimée) de 91 500$ et votre prix ferme, basé sur les pressions subies par le revendeur ainsi que sur d'autres facteurs, est de 88 500$, commencez à 83 000$. Gardez la condition hypothécaire dans votre offre et ajoutez-y tous les appareils électriques, rideaux, mobilier, etc., même si vous pensez que vous n'en avez pas vraiment besoin. Plus tard dans les négociations, vous pourrez être appelé à laisser tomber quelque chose; quel plaisir ce sera pour vous, de laisser tomber une chose dont vous n'avez pas vraiment besoin. Fixez votre dépôt à 1 000$, pour la même raison. Plus tard, vous aurez peut-être besoin de démontrer que vous êtes flexible mais que la dernière chose pour laquelle vous voulez céder, est le prix (même si vous le faites tout de même).

- Parallèlement, préparez vos démarches. Quand la contre-offre vous est retournée, vous demandant plus d'argent, avancez d'un pas en haussant légèrement l'offre. En même temps, abandonnez la condition hypothécaire (du moment que vous êtes sûr que votre demande d'hypothèque est agréé) et augmentez le montant de votre dépôt. Ces manoeuvres parallèles ne vous coûtent rien et donnent à votre agent quelque chose à mettre sous la dent du revendeur en plus de votre maigre augmentation de prix. L'augmentation de votre dépôt est une preuve de votre sincérité.

Le fait de laisser tomber la condition hypothécaire démontre votre habileté à conclure la vente. Si la contre-offre revient, continuez d'avancer petit à petit vers votre prix ferme. En cours de négociation, vous pouvez aussi laisser tomber tous les articles que vous ne voulez pas vraiment.

- Utilisez, au besoin, l'information que vous détenez. Si, par exemple, le revendeur est inflexible quant à son prix, que vous êtes à 1 000$ de votre prix ferme et que les réparations vont coûter sensiblement le même prix au cours des trois prochaines années, acceptez son prix en incluant le rapport d'inspection de la maison. Faites votre nouvelle offre en mentionnant que les réparations devront être faites avant la clôture de la vente, la qualité étant sujette à inspection, soit par vous, soit par quelqu'un que vous engagerez. Dans certaines négociations, l'estimation et votre prix ferme sont les mêmes; soumettez alors une **offre finale** et joignez-y le rapport d'évaluation prouvant bien qu'il s'agit d'une offre finale.

- Vous devez vous désister de toute négociation pouvant vous amener à payer un montant supérieur à votre prix ferme. Mais avant de le faire, lisez avec attention la section suivante, qui vous offre une "solution de financement de rechange".

5. Avant d'arrêter les négociations, envisagez une solution de financement de rechange. Si vous tenez fermement à votre prix et que le revendeur tienne aussi fermement au sien, tout espoir n'est pas perdu. Souvent les revendeurs tiennent obstinément au principe "d'avoir ce qu'ils ont demandé". Vous pouvez découvrir cela très rapidement et la technique suivante pourra vous venir en aide; cependant, elle ne vous est utile que dans le cas où vous demandez une hypothèque sur votre nouvelle maison et que le revendeur n'a pas besoin de tout son argent immédiatement.

Supposons que votre prix ferme soit de 85 000$ et que le revendeur ne descende pas en dessous de 90 000$. Vous prévoyiez payer 25 000$ en argent comptant et emprunter 60 000$ sur hypothèque à 12%. Après une année de paiements mensuels de 619,20$ (amortissement sur 25 ans), vous auriez déjà déboursé

7 430,40$, mais réduit le capital de votre hypothèque de 325$ seulement. Vous devriez encore 59 675$. Mais si vous n'aviez pas à faire de paiements hypothécaires pendant un an — laissez-vous aller à rêver un peu — et qu'au contraire vous placiez le même montant dans un compte d'épargne à 8%, à la fin de l'année vous auriez épargné 7 757,85$; montant que vous pourriez retrancher de votre hypothèque de 60 000$ et qui vous donnerait un nouveau solde de 52 242,15$. Ce qui veut dire que si vous pouviez être soulagé de votre hypothèque pendant un an, tout en épargnant l'argent normalement donné en mensualités pour cette hypothèque, vous économiseriez un montant représentant la différence entre 59 675$ et 52 242,15$, c'est-à-dire 7 432,85$.

Vous offrez alors au vendeur **plus** d'argent qu'il n'en demande mais avec un mode de financement qui va vous faire payer **moins** que vous ne l'aviez prévu. Rappelez-vous que vous ne faites pas affaire avec un individu prenant ses décisions de manière rationnelle, vous auriez, sinon, déjà acheté la maison à un prix normal, par les voies habituelles de financement.

Offrez-lui 2 000$ de plus que le prix qu'il demande — ce qui représente 7 000$ de plus que votre prix ferme — mais à condition que le solde du montant de 25 000$ donné en argent comptant vienne à échéance un an après l'achat de la propriété. Dans les faits, le revendeur devra maintenir l'hypothèque durant un an, sans intérêt, **mais il aura reçu 2 000$ de plus que ce qu'il avait demandé et vous payerez, quant à vous, 432,85$ de moins que ce que vous vouliez payer — puisque vous avez épargné 7 432,85$ en mettant cet argent de côté au lieu d'effectuer les paiements hypothécaires de votre première année.** (La somme que vous récupérez, va, bien sûr, se trouver réduite du montant des coûts légaux qu'entraînent l'ouverture d'une hypothèque d'un an sans intérêt.)

Vous pensez sans doute que cette demande est irréaliste! Le revendeur devient créancier pendant un an, mais ne recueille aucun intérêt. Essayez quand même, il se peut que vous soyez surpris du résultat. Tenez compte du fait que le vendeur aura sauvé son honneur et pourra dire: "J'ai eu ce que je voulais et même 2 000$ de plus". Et il pourra se payer la tête du créancier qui avait évalué sa maison à un prix ridiculement bas. Ca peut aussi ne pas marcher, mais avec des gens irrationnels, on ne sait jamais. Faites attention cependant au risque que vous prenez. Si les taux hypothécaires montent durant cette période, votre gain de 432,85$ pourrait bien être balayée. D'un autre côté, s'ils baissent, vous pourriez augmenter votre profit.

J'ai inventé cette situation hypothétique pour vous montrer que dans certaines circonstances, on pouvait détourner le problème du "prix" par un financement créatif. D'ailleurs, si le revendeur acceptait de transformer encore plus d'argent en provenance de cette vente en une hypothèque de deux ou trois ans sans intérêt, vos épargnes seraient encore plus substantielles. Cela peut représenter une alternative intéressante, selon, bien sûr, la mentalité du revendeur, car contrairement à beaucoup d'acheteurs, vous savez beaucoup de choses sur votre revendeur; vous l'avez écouté lorsqu'il parlait de sa maison et vous avez cherché les titres de propriété. Ne négligez pas cette possibilité de financement créatif si l'occasion semble bonne. Mais, plus important encore, vérifiez avec votre notaire tous les détails qui concernent l'achat de votre maison, spécialement s'il est question de "financement créatif". Si vous ne le faites pas, certains détails que vous ignoriez, pourraient vous coûter plus cher que ce que vous croyiez épargner.

Acheter un condominium d'occasion. Le principe de base définissant la propriété d'un condominium est simple. Le propriétaire d'un condominium détient les titres de son unité individuelle et, à la fois, partage avec d'autres propriétaires les titres, de même que les coûts d'entretien du reste de la propriété. Par conséquent, si vous rachetez un appartement ou une maison en copropriété, vous posséderez votre propre maison et aurez un intérêt proportionnel sur les autres aires — de l'entrée aux corridors — connues sous le nom d'aires communes. Pour acheter le bon condominium au meilleur prix, il y a certaines démarches à effectuer.

— Connaître les lois et règlements provinciaux. Chaque province a sa propre conception du fonctionnement des condominiums. Vous en saurez tous les détails en contactant la Régie du Logement et en demandant de l'information écrite. Demandez aussi s'il y a une association provinciale pour les propriétaires de condominiums qui pourrait vous fournir des informations sur le sujet.

— **Savoir précisément ce que vous achetez**. Chaque corporation a sa propre **déclaration** où sont définies exactement les aires communes et ce qui appartient en propre aux propriétaires d'unités individuelles. Vous devrez la lire et bien la comprendre avant d'acheter. Dans certains condominiums, les aires communes commencent au mur extérieur de l'unité individuelle; dans d'autres, le mur extérieur est considéré comme faisant partie de l'unité individuelle. Une telle distinction peut être très importante quand il faut payer le lavage des vitres ou les réparations des murs extérieurs.

— **Savoir quels sont les interdits**. La même déclaration qui définit ce qui vous appartient individuellement définit également les privilèges ou restrictions. Vous pouvez, par exemple, découvrir que vous n'avez pas le droit de laver votre voiture dans votre espace de stationnement or il se trouve que vous adorez laver votre voiture tous les samedis matin... Relisez la déclaration. Sachez ce que vous pouvez faire ou ne pas faire.

— **Connaître les coûts d'entretien.** En plus de posséder votre aire individuelle, vous partagez la propriété de toutes les aires communes en tant que membre d'une corporation. Vous payez mensuellement les coûts d'entretien de cette propriété; alors il est essentiel d'avoir une analyse financière complète des opérations de la corporation. Cette analyse porte le nom de "certificat Estoppel" en Ontario et dans certaines autres provinces. L'acceptation de ce certificat devrait faire partie intégrante des conditions de vente.

— **Savoir s'il y a du bruit.** Un rapport d'inspection n'est pas nécessaire dans un condominium et ne vous apportera aucun avantage à l'achat. Mais vous devez être rassurer au sujet du principal problème pouvant se présenter: le bruit. Le gérant de la propriété devrait être en mesure de vous expliquer quelles infrastructures ont été mises en place dans le but d'insonoriser les murs et les planchers. De plus, en visitant l'immeuble à différents moments de la journée et de la soirée, vous aurez une meilleure idée des bruits avec lesquels vous devrez vivre.

— **Ne pas oublier de faire rechercher les titres.** Les condominiums sont enregistrés en tant que propriétés comme tous les autres titres, sauf dans les provinces où il existe une section spéciale d'enregistrement pour les condominiums. Une vérification au bureau d'enregistrement de votre province pourra vous informer. Il est en fait plus facile de déterminer la valeur minimale d'un condominium que celle d'une maison parce qu'il est possible d'identifier les unités identiques d'un condominium et de vérifier les ventes récentes de ces unités. Vous n'avez besoin de connaître que le numéro de ces unités et votre agent devrait être en mesure de vous les fournir.

— **Utiliser la solution du prix d'achat ferme.** Pour en arriver à la solution du prix d'achat ferme et à l'offre finale, suivez les étapes précédentes, sauf celle du rapport d'inspection.

7. Acheter une "coop". Au Canada, la *coop* est une forme rare de propriété et, alors que la stratégie générale décrite dans cet ouvrage peut vous être utile, les détails de la méthode du prix d'achat ferme ne peuvent pas s'appliquer ici, et ce, pour une raison importante: dans le cas d'une coop, vous n'**achetez** pas un titre de propriété unique. Vous devenez plutôt actionnaire dans une corporation qui est propriétaire d'un immeuble et vous avez "le droit d'en utiliser une certaine partie". Les actionnaires actuels (vos futurs voisins) approuvent votre offre d'achat et, une fois que vous avez acheté, vous assumez la responsabilité d'une part de tous les coûts, y compris les paiements hypothécaires, si la maison est hypothéquée. De la même façon, si vous vendez une *coop,* vous ne vendez pas votre appartement ou votre maison, mais vos parts dans la corporation qui est propriétaire de l'immeuble.

8. Acheter une maison de campagne. Lorsque vous achetez une maison de campagne vous faites face à un inconvénient très spécifique que vous ne rencontrez pas lors de l'achat d'une résidence principale. Les problèmes sont reliés à un fait important: **il est presque impossible de ne pas tomber amoureux d'une maison de campagne qui, croyez-vous, comble tous vos désirs.** Une telle propriété vous apporte plaisir, loisirs ou évasion — c'est un endroit où vous pouvez tout oublier. Vous éprouverez beaucoup de difficultés à appliquer les mêmes critères que pour l'achat d'une maison. Car en fait vous êtes en train d'essayer de trouver un endroit que vous "aimez".

De plus, ce genre de maison va probablement vous coûter moins cher qu'une résidence principale, de sorte que vous serez moins porté à prendre votre temps et à appliquer la solution du prix d'achat ferme. Vous devriez le faire pourtant. Mais au cas où vous ne le feriez pas, prenez connaissance de ce qui suit:

— Si vous ne faites pas faire de rapport d'inspection, vérifiez si le système d'égoûts (la fosse septique en particulier) est en bon état. Cela peut être vérifié sur place, à peu de frais.

— Vérifiez le zonage avec les autorités municipales avant de tomber conplètement sous le charme. Si la propriété voisine de votre refuge se transforme en dépotoir, vos rêves de vacances peuvent se transformer en cauchemars. Soyez sûr aussi que vos idées d'agrandissement et de rénovations pourront être acceptées, particulièrement si vous achetez une propriété située au bord de l'eau où une réglementation assez stricte est généralement imposée.

— Si la maison est sur le bord ou à proximité d'une étendue d'eau que vous comptez utiliser, vérifiez auprès du ministère provincial de l'environnement la condition de l'eau et l'utilisation possible: baignades, pêche, canotage, planche à voile, etc. De plus, si vous achetez une propriété qui donne sur une plage, votre notaire pourrait vérifier si la plage est privée ou si elle est ouverte au public.

— Soyez aux aguets quant à la possibilité d'être financé directement par le revendeur. Très souvent, les propriétaires de maisons de campagne n'ont pas autant besoin d'argent que les propriétaires de résidences principales et peuvent tout aussi bien supporter l'hypothèque eux-mêmes. Si vous trouvez une hypothèque à un taux moins élevé que les taux courants et sur une base hebdomadaire, vous pourriez sauver des milliers de dollars.

Et voilà la méthode du prix d'achat ferme pour acquérir une propriété déjà existante. Muni de l'information adéquate et en suivant les étapes de la méthode du prix d'achat ferme, vous pouvez sauver des centaines, voire des milliers de dollars.

5

ACHETER UNE MAISON NEUVE

En quoi l'achat d'une maison neuve peut-il être différent de l'achat d'une maison d'occasion? Dans certains cas, il ne diffère pas. Si la nouvelle maison qui vous intéresse est une maison unifamiliale, suivez les étapes du chapitre précédent. Le constructeur ne manifestera pas le même attachement à sa maison qu'une personne qui y aurait vécu et il ne subira pas de pression quant à la conclusion de la vente. Mais comme vous serez en mesure d'établir la valeur minimale de la maison, travaillez votre prix d'achat ferme et suivez la méthode de la meilleure offre. Si la propriété qui vous intéresse est un condominium ou fait partie d'une nouvelle subdivision, vous serez confronté à un prix fixé d'avance. Habituellement, ce prix ne vient de nulle part — c'est le résultat de la concurrence du marché et dans bien des cas, c'est le prix que vous aurez à payer.

Cependant trois cas différents peuvent se présenter, qui pourraient vous permettre de faire baisser le prix.

Dans le premier cas, le prix demandé n'est pas concurrentiel par rapport à des maisons semblables dans la même région ou dans une région comparable.

Le deuxième cas est en fonction du temps. Si vous êtes parmi les premiers ou les derniers acheteurs, vous allez peut-être pouvoir faire baisser le prix. Si vous êtes parmi les premiers, le constructeur peut avoir besoin d'argent et/ou d'un encouragement — d'une preuve auprès des éventuels acheteurs que ses maisons se vendent bien. Si vous êtes parmi les derniers, le constructeur aura à assumer des coûts de vente et de publicité disproportionnés par rapport au nombre de maisons encore disponibles — une bonne raison pour vendre à n'importe quel prix.

Le troisième cas suppose l'instabilité des taux d'intérêt. Pendant que le nombre de maisons revendues diminuait légèrement au début des années '80 à cause de la hausse des taux d'intérêt, le nombre de ventes de maisons neuves dégringolait. La montée rapide des taux d'intérêt représente un signal d'alarme pour les constructeurs qui vont être aux prises avec un choix de maisons de plus en plus onéreux et difficile à supporter (les acheteurs ayant les moyens de payer sont plus rares). Ils sont alors plus susceptibles de baisser leurs prix.

En gardant à l'esprit ces trois cas où vous pourriez payer moins cher que le prix "déterminé", voici la méthode du prix d'achat ferme pour acquérir une maison neuve. Encore une fois, vous trouverez, à la fin, une section spéciale sur les condominiums.

A. PLANIFICATION

Il y a cinq étapes à suivre lors de la planification de l'achat d'une maison neuve et elles sont les mêmes que celles qui ont été décrites au chapitre précédent lors de l'achat d'une maison d'occasion.

- Trouver la meilleure hypothèque.
- Faire faire l'évaluation avant d'acheter.
- Prendre connaissance des honoraires légaux ainsi que du total des coûts.
- Vous préparer à vivre cette aventure.
- Obtenir ce que vous voulez.

B. SÉLECTION

Quatre étapes font partie du processus de sélection d'une maison neuve:

1. Voyez-en le plus possible. Visitez autant de nouveaux quartiers que vous le pouvez—même ceux où vous ne penseriez jamais vivre un jour — afin de vous familiariser avec tout ce qu'offre le marché. Et n'oubliez pas d'utiliser votre liste de contrôle pour déterminer exactement ce que vous pouvez payer.

2. Informez-vous pour adhérer au ACCM. 85% des maisons résidentielles sont construites par les membres de l'Association canadienne des constructeurs de maison (ACCM). Si une maison vous intéresse et que le constructeur n'est pas membre de l'association, ce n'est pas une raison pour ne pas acheter, mais vous devriez essayer de savoir pourquoi il n'en fait pas partie. L'ACCM, qui appuie le Code national de la construction, est certainement actif dans le développement des plans de garantie des nouvelles maisons et dans l'échange de telles informations avec les constructeurs membres. Vérifiez si la maison qui vous intéresse a été construite selon les normes du CNC et si le plan de garantie est aussi complet que ceux offerts par les membres de L'ACCM. Certaines municipalités ont maintenant adopté le CNC et en ont fait partie intégrante des codes locaux de construction.

3. Informez-vous des ventes. Si vous êtes intéressé par un quartier en particulier, demandez au vendeur les noms et adresses de deux acheteurs qui ont déjà emménagé. Téléphonez-leur et faites-leur une petite visite; histoire d'apprécier le savoir-faire du constructeur et aussi de voir comment fonctionne la garantie. De plus, cette visite vous permettra d'avoir une idée du genre de personnes que vous aurez comme voisins — ce qui est toujours bon à savoir.

4. Cherchez les titres des maisons que vous visitez. En cherchant les titres des deux maisons que vous avez visitées (suivre les instructions du chapitre précédent), vous saurez à quels prix ces maisons ont été vendues et vous pourrez les comparer à celui de la maison qui vous intéresse.

C. ACHAT

Les étapes de l'achat sont déterminées par ce que vous aurez appris pendant l'étape de sélection:

1. Si les prix s'écartent de la norme. Si votre recherche des titres révèle que le constructeur demande un prix plus élevé que ceux auxquels les autres maisons ont été vendues, discutez-en avec lui avant de faire quoi que ce soit. Le prix peut avoir été augmenté simplement à cause de la loi de l'offre et de la demande — surtout si les taux d'intérêt ont chuté depuis la vente des maisons que vous aviez visitées. Peut-être le constructeur est-il aussi en train de tester le marché pour voir s'il ne pourrait pas augmenter sa marge de profit. Si vous pouvez lui présenter une preuve circonstanciée que les autres maisons ont été vendues à meilleur prix, le prix "fixé" pourrait alors devenir plus flexible.

2. Si les prix sont conformes à la norme. Si les prix semblent être dans les normes, passez à l'évaluation faite par votre institution financière (avec vos copies telles que nous l'avons fait au chapitre précédent) avant de faire une offre d'achat. Rappelez-vous que cette évaluation a pour but d'établir une valeur minimale de la maison pour que le créancier puisse couvrir son investissement en cas de non-paiement. Si l'évaluation est seulement de 1 000$ inférieure au prix demandé, ou à peu près, vous n'impressionnerez pas beaucoup le vendeur avec cette information. Selon toute probabilité, il aura fait une évaluation du quartier avant de régler son propre financement. Mais s'il y a une différence de plusieurs milliers de dollars, vous devriez en débattre autant avec la firme d'évaluateurs qu'avec le promoteur immobilier pour trouver la raison d'un tel écart.

3. Évaluez le contexte. La vente de chaque maison neuve a ses particularités. Si vous êtes parmi les premiers ou les derniers acheteurs dans un nouveau développement, de grâce, demandez s'il y a possibilité d'obtenir un rabais. Si vous découvrez en parlant avec les gens qui ont acheté récemment que le constructeur a des problèmes de liquidité ou que les taux d'intérêt ont monté récemment, vous pouvez offrir un prix très inférieur au prix "fixé".

Cependant, si tout est parfait et que les maisons se vendent bien, payer le prix "fixé" peut être à votre avantage. Ce sera le plus bas prix que vous pourrez payer pour la maison que vous désirez. Et vous saurez que vous faites une bonne affaire.

4. Faites inscrire dans le contrat de vente, l'inspection de la maison. Malgré les garanties et autres promesses du constructeur et en dépit du fait que les maisons neuves soient inspectées par les autorités municipales, il est conseillé de vous adresser à une entreprise d'inspection de maisons (voir le dernier chapitre) pour vous assurer que le constructeur a terminé convenablement votre maison. Cette fois-ci le rapport d'inspection sera utile non pas pour payer moins, mais pour vous rassurer sur la qualité et le professionnalisme du constructeur. Insistez pour que le rapport d'inspection et la réparation de tout problème détecté apparaissent au contrat de vente.

5. Acheter un condominium neuf. Lors de l'achat d'un condominium neuf, suivez les conseils donnés dans ce chapitre et dans la section des condominiums dans le chapitre précédent. Prenez également note des points suivants:

— Vous ne prendrez effectivement possession de votre "partie" de l'immeuble que lorsque celui-ci sera terminé et enregistré. Toutes les conditions particulières que vous pourriez avoir à propos des aires communes devraient être signifiées par écrit dans l'accord de vente.

— Les dépenses communes — vos paiements mensuels pour l'entretien — augmentent généralement d'au moins 15% lors de la seconde année. C'est normal si l'on considère que certains de ces coûts d'entretien ne se présenteront qu'après une année de fonctionnement.

Encore une fois, la méthode du prix d'achat ferme peut jouer en votre faveur. Suivez cette voie et vous achèterez une maison neuve au plus bas prix possible.

JUSTE AVANT D'ACHETER

"L'ère de l'information" dans laquelle nous vivons met à notre disposition une grande quantité de renseignements. Mais quelles sont les personnes qui utilisent réellement cette information? Avez-vous remarqué que les gouvernements et les entreprises privées savaient beaucoup mieux que nous utiliser l'information publique pour promouvoir leurs intérêts — simplement parce qu'ils savaient comment s'y prendre? Les gouvernements peuvent prédire pour qui l'électorat votera bien avant que les premiers bureaux de scrutin ne soient ouverts. Et les entreprises mettent sur le marché des produits et des services en se basant sur ce qu'ils savent des gens, de leurs habitudes, de leurs désirs, de leurs besoins.

La majorité des gens pensent encore qu'il existe beaucoup d'informations qui, bien utilisées, pourraient leur faire épargner d'importantes sommes d'argent.

Mais vous, vous le savez maintenant. La méthode du prix d'achat ferme vous dit où et comment obtenir l'information dont vous avez besoin et ensuite comment l'utiliser pour payer moins lors de l'achat de votre prochaine voiture ou de la maison de vos rêves. Que voulez-vous de plus?

En conclusion, soyez patients. Rappelez-vous que l'information est là pour vous. La méthode du prix d'achat ferme va jouer en votre faveur si vous utilisez le plus d'informations disponibles possibles et si vous suivez les étapes exposées dans ce livre, point par point. Vous êtes à la fois au-dessus du comptoir de bonbons et profondément enfoncé dans la jungle pleine de guérilleros. En utilisant la méthode du prix d'achat ferme, vous les avez à votre merci. Agissez avec le soin et la patience que requiert cette méthode et vous paierez le minimum lors de l'achat d'une nouvelle voiture ou de la maison familiale.

Bonne chasse!